Chères lectrices,

Que diriez-vous d'aller au bal ? Un bal masqué, qui plus est… Vous êtes partantes ? Alors ne manquez pas *Le bal des amants* (n° 2542), l'excellent roman d'Emma Darcy publié ce mois-ci dans la collection Azur. Vous découvrirez l'histoire de Katie et Carver, deux êtres passionnément amoureux qu'un malentendu tragique a séparés dix ans auparavant, et qui se retrouvent à l'occasion d'un bal costumé… Tous deux masqués, emportés par le rythme tourbillonnant de la musique, ils vont de nouveau succomber à la force irrésistible de leur désir sans même connaître leur identité.

Dans *Le bal des amants*, Emma Darcy revisite très habilement la scène du bal — morceau d'anthologie de nombreux romans et films d'autrefois (souvenez-vous de la magnifique valse du film *Le Guépard*). Elle nous montre que le bal, loin d'être désuet et dépassé, demeure le lieu privilégié de la rencontre amoureuse. Et même si, de nos jours, la valse n'est plus de mise, le bal reste un événement fascinant, qui ne cesse de nourrir notre imaginaire… pour le plus grand plaisir des romantiques que nous sommes !

Bonne lecture, et rendez-vous le mois prochain !

La responsable de collection

Un secret bouleversant

MARGARET WAY

Un secret bouleversant

COLLECTION AZUR

éditionsHarlequin

Cet ouvrage a été publié en langue anglaise sous le titre :
INNOCENT MISTRESS

Traduction française de
MARIE MAY

83-85, boulevard Vincent-Auriol, 75013 PARIS — Tél. : 01 42 16 63 63
Service Lectrices — Tél. : 01 45 82 47 47
ISBN 2-280-20442-8 — ISSN 0993-4448

1.

Ralph Rogan fut éveillé par un cri perçant.

Il reconnut la voix de sa mère : quelque chose de grave était arrivé à son père.

Celui-ci souffrait depuis longtemps d'athérosclérose. Comment s'en étonner, chez un homme porté sur la bonne chair, la boisson, les femmes ?... Malgré les avertissements des médecins, il n'avait jamais renoncé aux plaisirs de la vie.

Avec un peu de chance, se dit Ralph, il était mort.

Il était incapable d'éprouver la plus infime parcelle de compassion à l'égard de ce gros taureau d'homme qui lui servait de père. Il lui ressemblait, pourtant, au même âge. Les yeux sombres profondément enfoncés dans les orbites, le nez fort, la mâchoire carrée, il était déjà doté à vingt-huit ans d'un embonpoint considérable, tout comme son père. Mais cela, il refusait de le voir.

Il bondit du lit et enfila à la hâte un jean et une chemise. Sans prendre la peine de se chausser, il se précipita dans le hall et atteignit en un temps record l'appartement que son père occupait dans l'aile ouest.

Cela faisait des années que ses parents ne partageaient plus la même chambre. L'arrogant et tyrannique Lester Rogan — il considérait sa femme et ses enfants comme ses inférieurs — avait fait aménager plusieurs pièces du manoir familial en une luxueuse suite particulière où il s'était isolé.

Ralph souffrait de l'attitude résignée de sa mère. Ces derniers temps, elle offrait l'image pitoyable d'une pauvre créature abandonnée dans un désert glacé.

Il la trouva effondrée près du lit, son corps frêle parcouru de sanglots.

— Je n'arrivais pas à dormir, gémit-elle. Je savais que quelque chose allait arriver.

Elle tourna la tête et, d'une voix étranglée, continua :

— Il est parti, Ralph. Il est parti.

— Bon débarras !

Par ces mots, Ralph Rogan évacuait une vie entière d'amertume et de ressentiment. Il demeura un moment à fixer le corps de son père, se demandant comment un corps autrefois massif, puissant, pouvait paraître aussi petit et léger. Son visage à la fois lourd et élégant était marqué à la tempe d'une épaisse veine bleue saillante.

Il finit par avancer dans l'intention de fermer les yeux du mort, mais au moment où sa main approchait des paupières, il la retira brusquement comme si le cadavre allait le mordre.

Il se refusait à toucher la dépouille de cet homme qui ne lui avait jamais témoigné d'affection, qui l'avait traité avec une impitoyable cruauté. Cet homme qui l'avait insulté, humilié et n'avait eu de cesse de lui jeter à la figure les succès scolaires du brillant Jude Conroy, le petit prodige du lycée.

D'un geste presque violent, il rabattit le drap sur la tête du défunt puis se tourna vers sa mère dont les sanglots avaient redoublé.

— Je vais appeler Atwell, annonça-t-il d'un ton glacial. Il signera le certificat de décès.

La pauvre femme demeurait prostrée, affalée devant le lit. Il l'obligea à se lever et la considéra, exaspéré.

— Mais enfin, maman, pourquoi pleures-tu ? Il t'a traitée comme une serpillière. Il n'a jamais eu un mot tendre pour toi. Il t'a chassée de son lit, il avait d'autres femmes…

— Je l'aimais, répondit Myra Rogan en se dégageant des bras de son fils.

Elle se laissa tomber dans un fauteuil avant d'ajouter :

— Nous avons été heureux, autrefois.

Ralph émit une sorte de rire sauvage.

— Ne raconte pas de bêtises, répliqua-t-il. Le bonheur n'est jamais entré dans cette maison. Ou alors, c'était avant le déluge ! Tu vas tâcher de te remettre pendant que je téléphone à Atwell. Où est Porte-Poisse ?

— Je t'en prie, Ralph ! N'appelle pas ta sœur ainsi, supplia sa mère. Tu es quelquefois si cruel !

Il se tourna vers elle et la toisa.

— Je te rappelle que ce n'est pas moi qui lui ai donné ce surnom, mais papa, rétorqua-t-il. Bon, si tu y tiens… Où est Mel ?

— Je suis là, dit une voix haut perchée.

Sa sœur Melinda, de deux ans plus jcunc quc lui, unc jolie brune aux traits fins comme ceux de leur mère, se tenait en robe de chambre sur le seuil de la porte. Son regard horrifié se posa sur le lit.

— Il est vraiment… ? commença-elle.

Leur mère lui tendit la main.

— Oui, ma chérie. Il est mort.

— Il l'a bien cherché ! commenta Ralph en saisissant le téléphone. Jamais il n'a suivi les conseils du médecin.

— C'est un tel choc ! murmura Melinda.

Elle marcha vers leur mère, lui enlaça les épaules.

— Ne pleure pas, maman. Il n'a jamais rien fait pour te rendre heureuse.

— Autrefois si, hoqueta Myra.

— Ah oui, et quand ? railla Ralph tout en tapotant les touches du combiné.

— Avant ta naissance, répondit sa mère. Et les quelques années qui ont suivi.

— Il ne s'est jamais soucié de moi, pas plus que de Melinda.

— Pour Mel, je ne dis pas, reconnut Myra. Mais, toi, il t'aimait. Il avait de grands projets pour son fils. Et même...

D'un geste brusque de la main, il lui intima le silence.

Un torrent de larmes ruisselait des yeux de Myra, coulait le long de ses joues, trempait le haut de sa chemise de nuit. Tandis qu'il parlait au téléphone, Melinda trouva une boîte de mouchoirs jetables et la lui tendit.

Il reposa le combiné.

— Atwell sera là dans vingt minutes, annonça-t-il. Va t'habiller, maman, et cesse cette comédie hypocrite.

Il pointa le pouce par-dessus sa propre épaule en direction du lit.

— Le père de tes enfants vient de nous faire la plus grande faveur qu'il nous ait jamais faite : nous voilà enfin débarrassés de sa présence.

— Tu veux sans doute dire que tu vas enfin pouvoir mettre la main sur son argent, intervint sèchement Melinda.

Elle le regardait maintenant comme s'il était l'ennemi à abattre.

— Tu es le chef de famille, à présent, poursuivit-elle. Et tu veux que je te dise, Ralph ? Je suis prête à parier que tu ne t'avéreras pas meilleur que papa.

Ralph haussa les épaules et se dirigea vers le bureau de leur père.

Il lui fallait au plus vite joindre Jude Conroy.

Ce bon Jude, l'élève modèle, le brillant étudiant, celui à qui tout réussissait et qui réussissait tout, l'avocat dont on s'arrachait les services...

Il n'y avait jamais eu de complicité entre eux. Une fois, quand ils avaient environ treize ans, Conroy lui avait flanqué une correction pour le punir d'avoir brutalisé un nouvel élève, une espèce de gringalet pleurnichard qu'on avait admis par erreur dans leur excellente école. Ralph n'avait jamais oublié cet épisode : il s'était retrouvé à terre, le nez et la bouche en sang, avec une dent en moins. Même sa mère avait pris le parti de Jude Conroy, disant que lui-même n'avait eu que ce qu'il méritait. Et il s'était juré qu'un jour il se vengerait de l'humiliation infligée par le chouchou de l'établissement.

Par contre, leurs pères respectifs étaient proches. Lester Rogan avait choisi Matthew Conroy comme avocat et confident. Il l'avait chargé d'établir son testament et avait désigné son fils Jude comme exécuteur testamentaire au cas où Matthew viendrait à disparaître.

C'était la raison pour laquelle Ralph devait absolument aujourd'hui contacter son ancien ennemi.

La superbe et exubérante Poppy Gooding quitta le bureau de Jude dans un tourbillon de parfum voluptueux.

Celui-ci essuya soigneusement toute trace de rouge à lèvres de sa bouche puis rectifia sa cravate.

— Reste calme, Jude, s'admonesta-t-il.

Jamais il n'avait rencontré de fille aussi torride.

Il se rappela un film traitant du harcèlement sexuel sur le lieu du travail, dans lequel la victime était un homme. Certes, Poppy ne se montrait pas perverse comme la femme de l'histoire, mais elle usait de méthodes de séduction pour le moins discutables ! Pour tout dire, la réserve que l'on pouvait attendre d'une dame — même au XXIe siècle — lui faisait totalement défaut. Au point que Jude, qui n'était pas du genre à mélanger travail et plaisir, avait dû l'arrêter avant qu'elle ne commence à retirer ses vêtements. Ou les siens…

Depuis des mois il tentait de la décourager, mais Poppy ne lâchait pas sa proie si facilement.

Leonard Gooding, qui régnait sur la Gooding, Carter et Legge Corporation, un prestigieux cabinet d'avocats associés de Brisbane, verrait-il d'un œil favorable sa plus récente recrue entretenir une relation amoureuse avec son unique héritière ? Par ailleurs, une autre question se posait : en repoussant la fille de son patron, ne mettait-il pas sa carrière en danger ?

Jude occupait son poste depuis six mois lorsque Poppy était rentrée d'un périple autour du monde. Dès le premier regard qu'elle avait posé sur lui, elle s'était donné pour mission de le séduire.

En vérité, ce n'était pas tellement surprenant : qu'il le veuille ou non, il laissait rarement une femme insensible. A vingt-huit ans, son statut de célibataire semblait le désigner comme la cible idéale pour toutes celles qui rêvaient qu'on leur passe la bague au doigt. D'ailleurs, Vanessa, la documentaliste, ne lui avait-elle pas déclaré sans ambiguïté que le jour où il aurait décidé de devenir père, elle accepterait volontiers de porter un bébé de lui ?

Sauve qui peut ! Et pourtant, il se sentait moins sur la défensive avec elle qu'avec Poppy.

Bien sûr, il ne menait pas une vie monacale, loin de là. Il avait eu nombre d'aventures dont il conservait un souvenir agréable. Mais il avait toujours mis fin à la relation lorsqu'il avait senti que sa liberté se trouvait en danger. En fait, l'idée même d'une union légale lui donnait la chair de poule.

Pourquoi s'engager pour la vie devant maire, curé, témoins et invités alors que les statistiques prouvaient qu'un mariage sur deux ne durait pas ? Certains de ses clients avaient convolé en justes noces deux ou trois fois, et la plupart d'entre eux avaient l'air de poulets déplumés. Il ne voulait pas leur ressembler dans quelques années. Il ne voulait surtout pas voir un autre enfant souffrir comme il avait souffert.

Ses pensées revinrent à la volcanique Poppy.

La perspective de devenir le gendre de Leonard Gooding aurait souri à bien des hommes. Avenir assuré, possibilités financières et professionnelles sans limite, introduction dans la plus haute société... Cependant, malgré son désir de réussir sa carrière, il ne se sentait pas prêt à rire aux calembours de notables infatués de leurs personnes. Pas plus qu'à se laisser complaisamment battre au golf par un beau-père doté d'un tempérament de requin.

De toute façon, il ne voulait pas se marier.

Comment se sortir de ce guêpier ? En fait, il ne voyait qu'une seule issue : que Poppy s'amourachât de quelqu'un d'autre, et vite !

Il marcha jusqu'à la baie panoramique qui surplombait la ville et jeta un regard aux impressionnantes tours d'acier et de verre dressées contre le ciel telles des colonnes d'or dans le soleil de ce début d'après-midi.

N'importe quel psychiatre aurait découvert sans difficulté que sa phobie du mariage trouvait sa source dans son enfance. Sa mère avait abandonné son père, le meilleur des hommes, pour un richissime Américain. Elle l'avait abandonné aussi, lui, son unique enfant. Il avait été un petit garçon heureux ignorant que le malheur existe jusqu'à ce jour terrible où elle était partie. Il avait douze ans, alors. Cet événement avait suffi à modifier totalement son mode de pensée.

« Mon superbe garçon ! »

C'était par ces mots qu'elle l'accueillait au retour de l'école.

Quelle plaisanterie ! En l'appelant ainsi, elle ne faisait que flatter son propre ego, car ils se ressemblaient beaucoup physiquement. A l'époque, sa mère rayonnait d'une beauté fabuleuse. Et sans doute aujourd'hui encore continuait-elle de tourner les têtes avec ses cheveux blonds, ses yeux bleus, sa silhouette voluptueuse... D'ailleurs, son père n'avait-il pas prétendu jusqu'à son dernier souffle qu'on ne pouvait pas blâmer un homme de tomber amoureux d'elle ?

« Sally a voulu vivre une vraie vie, avait-il coutume de dire. Elle méritait plus que je ne pouvais lui donner. Elle était trop belle. »

Sa beauté excusait-elle son inconduite ? Une inconduite qui n'était certainement pas accidentelle, car il il se souvenait avoir remarqué, enfant, son attitude aguichante envers les hommes. Sans doute avait-elle déjà eu des aventures avant de partir avec ce milliardaire américain. Quoi qu'il en fût, elle les avait trahis, son père et lui.

Ce dernier, un brillant avocat épris de littérature et de musique, passionné de pêche en mer, avait sombré dans une mélancolie profonde sans jamais manifester la moindre rancœur à l'égard de l'infidèle.

Jude ne partageait pas cette indulgence. En fait, il haïssait sa mère. Il la détestait encore plus depuis que son père avait disparu lors d'une tempête, entraîné par-dessus bord avec l'un de ses coéquipiers par une lame de fond.

La mer n'avait jamais rendu leurs corps.

Au moins Matthiew Conroy avait-il quitté ce monde en pratiquant une activité qu'il aimait, pensait Jude pour se réconforter. Autre consolation, son père avait eu avant de mourir la joie de le voir commencer une carrière prometteuse dans un cabinet aussi réputé que la *Gooding, Carter et Legge Corporation*. Ils avaient fêté l'événement dans un grand restaurant. Jude entendait encore ses paroles lorsqu'ils avaient choqué leurs coupes de champagne :

« Je suis fier de toi, mon fils ! Maintenant, il faut te marier. Trouve la femme qui te convient, donne-moi des petits-enfants. Tu es ma seule raison de vivre, je veux que tu sois plus heureux que je ne l'ai été. »

Comme il lui manquait ! songea Jude avec un serrement de cœur. Rien ne pouvait compenser sa perte. Ni le succès, ni les honneurs.

L'arrivée de Bobbi, sa secrétaire, le tira de ses pensées mélancoliques.

Petite, séduisante, Bobbi alliait les qualités que l'on attend d'une secrétaire et d'une amie. Il appréciait son efficacité et sa franchise. Il connaissait son fiancé, Bryan, un journaliste sportif avec lequel il entretenait des rapports cordiaux.

— Alors, vous avez réussi à vous débarrasser d'elle ? demanda la nouvelle venue, ses yeux noisette pétillant de malice.

— Pas sans mal.

Il retourna à son bureau.

— Poppy Gooding est persuadée qu'elle est amoureuse de moi, ajouta-t-il avec fatalisme.

Bobbi gloussa.

— En tout cas, elle est dotée d'un sacré tempérament ! J'ai failli avoir un arrêt cardiaque quand elle m'a bousculée. Un vrai bulldozer ! A mon avis, c'est votre corps qui l'affole.

— Pourquoi moi, grands dieux ? se lamenta-t-il.

Bobbi se planta devant lui, les mains sur les hanches.

— Pourquoi vous ? La belle question ! Avec vos yeux bleus et votre carrure d'athlète, vous êtes la coqueluche de toutes les filles. Il y a même un club d'admiratrices dans l'immeuble ! D'ailleurs, si je n'étais pas déjà fiancée à Bryan, je n'aurais pas dédaigné de m'inscrire sur la liste de vos adoratrices… Et si je faisais courir la rumeur que vous êtes homosexuel ? suggéra-t-elle.

Il lui décocha un regard acéré avant de la gratifier d'un sourire désabusé.

— Je doute que cela arrête Poppy, répondit-il. Elle se vanterait d'être la seule fille capable de détourner un homme de ses choix sexuels. En fait, ce dont j'aurais vraiment besoin, c'est de prendre des vacances.

— Il est vrai que vous n'avez pas chômé ces derniers temps. Si vous n'avez pas peur qu'elle vous coure après sur la plage…

Plus tard dans l'après-midi, son téléphone portable sonna alors qu'il se dirigeait vers sa voiture. C'était Bobbi.

— Ecoutez, je viens d'avoir un type au téléphone. Du genre pas commode. Il prétend que vous le connaissez et veut vous contacter d'urgence. Il s'appelle Ralph Rogan. Il s'est montré franchement déplaisant quand je lui ai dit que vous aviez une réunion importante. A l'entendre hurler, on aurait cru que vous aviez couché avec sa femme. Il m'a laissé son numéro — j'ai remarqué qu'il est du même coin que vous. Vous avez de quoi écrire ?

— Non, mais donnez-le-moi, je m'en souviendrai.

Elle rit.

— Jude, vous êtes une véritable machine à calculer.

— C'est exact, admit-il.

Il avait toujours eu une relation particulière avec les nombres. Enfant, déjà, la facilité avec laquelle il effectuait mentalement des opérations complexes étonnait les adultes.

Bobbi avait raison, le coup de fil provenait du Far Northern Queensland, et Ralph Rogan n'était autre que le fils de l'homme le plus riche d'Isis, sa ville natale. Le père de Jude avait été l'avocat de Lester Rogan en même temps que son confident. Quant à Ralph et lui, ils étaient allés à l'école ensemble sans jamais se lier d'amitié. Probablement à cause leurs tempéraments opposés et de leurs éducations différentes.

Pour que Ralph Rogan cherche à le joindre d'urgence, il devait avoir une raison sérieuse.

Jude était arrivé dix minutes avant le début du service.

La famille occupait le premier banc : le fils et la fille blêmes, Myra Rogan versant des larmes intarissables comme si son mari avait été le meilleur homme du monde.

Des larmes de crocodile, supputaient entre eux les assistants. Personne n'aurait osé avancer que Lester Rogan avait brutalisé physiquement sa femme ou ses enfants, mais chacun savait qu'il les tenait sous sa coupe sans leur accorder la moindre liberté. Il les laissait cependant profiter de sa fortune. Ils vivaient dans un immense manoir d'où ils jouissaient d'une vue époustouflante sur l'océan. Les femmes s'offraient ce qu'elles voulaient : vêtements et bijoux de grands créateurs, voitures luxueuses… Quoique aujourd'hui, Myra avait perdu de sa séduction. Le tailleur élégant qu'elle portait ne parvenait pas à cacher sa silhouette décharnée, et, sous son chapeau à larges bords orné de plumes, sa face hagarde dépourvue de fard semblait avoir vieilli de dix ans.

Les funérailles avaient commencé depuis un moment lorsqu'une mince jeune femme vint prendre discrètement place au dernier banc de l'église. Elle portait une robe de soie bleu marine extrêmement simple et un foulard assorti dont ne s'échappait aucune mèche de cheveux.

Quelques personnes se retournèrent pour lui jeter un regard avant de prêter de nouveau attention aux paroles de Ralph Rogan qui, la main sur le cœur, des gouttes de transpiration perlant au front, prononçait l'éloge funèbre de son père.

Des notables de la ville lui succédèrent sur le podium, chacun rendant hommage au défunt. Malgré les efforts qu'ils faisaient tous pour émailler leurs discours d'un peu de sensibilité, pas un signe d'émotion n'apparaissait sur les visages, nota Jude. Durant sa vie de magnat, feu Lester Rogan n'avait guère suscité l'estime.

Il avait vu la jeune femme inconnue entrer et se glisser au dernier rang. Il avait remarqué son visage éclatant de blancheur, semblable aux fleurs des magnolias de la propriété héritée de son père. Lorsqu'il se retourna à la fin de l'office, elle avait disparu. Pour une raison qu'il ne s'expliqua pas, ce départ le contraria.

Il suivit le cortège funèbre dans la voiture de location que Bobbi avait retenue pour lui. Comme c'était étrange de traverser à une vitesse de tortue sa ville natale ! Il avait le loisir de goûter la lumière tropicale, l'étendue de sable blanc, le bleu de l'océan. De plus, il savait la forêt et la Grande Barrière de Corail à portée de pas. Quelle chance il avait eu de grandir à Isis !

L'enterrement prit peu de temps. La veuve faisait pitié à voir. Que pouvait-elle penser au fond d'elle-même ? Quant à Ralph, transpirant à grosses gouttes, il jeta la première poignée de terre sur le cercueil richement décoré de son père avec un enthousiasme un peu trop flagrant.

Alors que Jude s'apprêtait à présenter ses condoléances à la famille, il revit la jeune femme qui avait attiré son attention à l'église. Elle se tenait debout à l'écart, à l'ombre d'un des immenses arbres plantés dans le cimetière. Qui était-elle ? Les Rogan la connaissaient-ils ? Manifestement, elle n'avait pas l'intention de traverser la pelouse pour venir leur parler.

Tandis qu'il s'interrogeait, les yeux fixés sur la mystérieuse inconnue, Myra Rogan se pencha vers lui et, à sa grande surprise, l'embrassa. Les paroles de sympathie qu'il prononça à son intention et à celle de Mel étaient sincères. Melinda paraissait si bouleversée, si pathétique qu'il la serra contre lui affectueusement.

— Je suis si contente que tu sois là, Jude, chuchota-t-elle.

Il savait que sa présence la réconfortait. Contrairement à son frère Ralph, il avait toujours fait preuve de gentillesse à son égard quand ils étaient petits, elle ne l'avait apparemment pas oublié.

— Cela a dû être un grand choc, Mel, même si ton père avait des problèmes de santé, dit-il gravement. Si je peux faire quelque chose pour vous aider, ta mère et toi…

— Il n'a pas voulu écouter les médecins. En fait, on aurait juré qu'il essayait de se tuer. Je ne pouvais pas l'aimer, Jude. Il n'a jamais voulu de mon amour.

— On ne peut pas dire qu'il avait la fibre paternelle, en effet.

— Alors que ton père à toi… Tu as eu de la chance, Jude.

Mel soupira.

— Je sais combien tu as souffert du départ de ta mère, continua-t-elle. Mais tu avais ton père pour t'aider à surmonter ton chagrin. C'était un homme tellement bon. Papa, lui, n'arrêtait pas de nous dire que nous étions stupides, bons à rien.

Elle se tamponna les yeux avec un élégant mouchoir de dentelle qui sentait la lavande. La lavande ! Pourquoi une femme aussi jeune utilisait-elle un parfum de vieille dame ?

Quoi qu'il en fût, il tenta de réconforter son ancienne camarade d'enfance.

— Vous n'étiez pas stupides, Mel, et il le savait. C'était juste sa manière d'essayer de vous garder sous sa coupe.

Melinda courba la tête.

— Eh bien, il a réussi. Mais c'était mon père, et la mort d'un proche est toujours un choc. Maintenant qu'il est mort, j'éprouve un sentiment de respect à son égard. Tu viens à la maison après la cérémonie, n'est-ce pas ?

— Naturellement. Je suis l'exécuteur testamentaire de ton père. Tu es au courant, je suppose.

— Ralph nous l'a dit. Je suis contente que ce soit toi et non un étranger. Tout le monde ici regrette ton père, Jude. C'était un homme exceptionnel. Comme toi.

Jude esquissa un sourire empreint de tristesse.

— Je n'ai rien d'exceptionnel, Mel, déclara-t-il. J'ai commis des erreurs comme tout le monde. Nous lirons le testament dès que ta mère le souhaitera.

Ralph se tenait à proximité. Il entendit ses paroles et quitta le groupe de personnes avec lesquelles il discutait pour s'approcher.

— Merci d'être venu, Jude, dit-il.

L'expression dure de ses yeux démentait la civilité de ses mots.

Ce vieux Ralph, toujours englué dans ses jalousies et ses ressentiments d'adolescent ! songea Jude, tandis que l'aîné des Rogan poursuivait :

— Ce ne sera plus long, maintenant. Dès que tout le monde sera parti, nous nous rendrons à la maison et tu nous liras le testament.

Jude lança un regard inquiet vers Myra.

— Crois-tu que ta mère sera prête à l'entendre ? demanda-t-il. Elle paraît si fragile.

— Moi, je suis prêt.

Et sur ces mots, Ralph tourna les talons comme si seul son avis comptait.

2.

Jude avait laissé toutes les autres voitures quitter le cimetière avant de monter dans la sienne. La voie conduisant au portail était large mais sinueuse, bordée d'énormes poincianas en fleurs. Il jeta un coup d'œil à sa montre. Lorsqu'il releva la tête, son cœur manqua un battement et il freina brutalement.

Juste devant lui, une jeune femme faisait un bond de côté en poussant un cri de frayeur. Manifestement, elle n'avait pas entendu le véhicule approcher. Immédiatement, il reconnut l'inconnue de l'église.

Déjà, il ouvrait la portière et mettait pied à terre. Quand il arriva près de la jeune femme, celle-ci s'était affalée sur la pelouse parsemée de pétales roses, la main sur la poitrine.

L'espace d'un moment, il eut l'impression de tomber lui-même. Il n'avait jamais provoqué d'accident. Et il n'avait aucune excuse.

— Ça va ? demanda-t-il en se penchant sur l'inconnue.

Au lieu de l'invectiver, elle s'excusa.

— Je suis désolée, je croyais que tout le monde était parti. J'aurais dû prendre un des sentiers au lieu de marcher dans l'allée centrale.

— Non, c'est de ma faute, protesta-t-il.

Il l'aida à se relever.

— Vous êtes sûre que tout va bien ? Vous ne vous êtes pas foulé la cheville ?

Ils se tenaient proches l'un de l'autre. Très proches. Pourtant, ni l'un ni l'autre ne s'écarta.

— Non, voyez vous-même, je n'ai rien, répondit la jeune femme avec calme.

Ces paroles apaisèrent le sentiment de culpabilité de Jude.

— J'ai eu si peur de vous avoir blessée, avoua-t-il en inspectant les jambes qu'elle lui montrait.

Des jambes exquises, au galbe parfait, à la peau dorée — par cette chaleur elle ne portait pas de bas — et qui, grâce au ciel, ne révélaient aucune trace d'hématome.

— Jude Conroy, dit-il.

Elle serra la main qu'il lui tendait.

— Cate Costello.

Il la regarda, submergé par un flot d'émotions qu'il n'aurait pu définir.

L'éclat des yeux verts fixés sur lui, la beauté du visage au teint de magnolia entrevu dans l'église et dont il découvrait à présent la finesse des traits, l'ovale parfait, les sourcils bien dessinés, la bouche charnue, tout le subjuguait chez elle. Pourtant, le charme physique de cette femme ne suffisait pas à expliquer son magnétisme extraordinaire. Il prit conscience tout à coup qu'il émanait de sa personne un rayonnement né d'une source beaucoup plus profonde. Elle devait avoir vingt-deux ou vingt-trois ans, mais sa voix assurée révélait une maîtrise de soi qui n'était pas de son âge.

Etait-elle blonde ? Brune ? Jude éprouva le désir de retirer le foulard de soie qui cachait ses cheveux et s'en alarma aussitôt.

L'inconnue lui avait-elle jeté un sort ? S'agissait-il d'une magicienne ? S'il continuait de parler avec elle, peut-être ne s'évaporerait-elle pas au douzième coup de minuit ?

— Vous êtes nouvelle dans le pays ? finit-il par demander. Je ne vous ai jamais vue.

— J'habite la ville depuis six ou sept mois, expliqua-t-elle. Moi, je sais qui vous êtes.

— Vraiment ?

— Vous êtes le fils de Matthew Conroy, que tout le monde aimait et respectait ici. Quiconque vient vivre à Isis entend parler de lui. Et de vous. Vous êtes la célébrité locale.

Sans relever la remarque, il rétorqua un peu trop vite :

— Et vous ?

— Je vous l'ai dit. Cate Costello.

— Vous êtes une amie de la famille ?

Elle recula légèrement pour se mettre à l'ombre.

— Est-ce un interrogatoire, monsieur Conroy ?

— Pourquoi le prenez-vous ainsi ? C'est une question tout à fait normale.

— Si vous l'aviez posée sur un autre ton, peut-être... A vous entendre, le premier venu comprendrait que vous êtes avocat.

— Vous avez un problème avec les avocats ?

— Je n'ai jamais eu l'occasion de faire appel à eux, mais j'admets qu'ils sont nécessaires.

— Avis partagé. Et vous, que faites-vous dans la vie ?

Jude avait parlé d'un ton amical.

La jeune femme sourit faiblement, sans détourner le regard.

— Quelle importance ? répondit-elle. Nous ne sommes probablement pas destinés à nous revoir.

Ces paroles ne firent qu'accentuer l'envie intense qu'il avait de mieux la connaître.

— Je suis curieux de nature, dit-il en riant.

Elle se laissa fléchir.

— Dans ce cas... Je tiens une petite galerie près de la plage. La Grotte aux Cristaux. J'achète et je vends des cristaux provenant du monde entier.

— Des boules de cristal dans lesquelles on lit l'avenir ? demanda-t-il, amusé. Manifestement, la nature ne vous a pas donné pour rien ces yeux verts de contes de fées.

— Je n'ai aucun don de voyance, répliqua-t-elle sur la défensive. Je me sens seulement en affinité avec les minéraux. Sinon, j'aurais deviné que vous étiez sur le point de m'écraser avec votre voiture.

— Oh, je ne pensais pas mériter ce reproche, j'ai freiné tout de suite.

— Je suis désolée, s'excusa-t-elle d'une voix sincère.

— Moi aussi. De vous avoir fait peur. Dites-moi, maintenant, comment vous est venue cette passion ?

— J'ai été initiée par des gens que je connaissais, répondit la jeune femme. J'ai appris à identifier les différentes gemmes. Savez-vous que les cristaux ont chacun des propriétés différentes et qu'ils ont été utilisés et révérés dès avant notre civilisation ?

Elle détourna la tête comme pour échapper à son regard qui fouillait le sien.

— Et comment trouverai-je la Grotte aux Cristaux ? s'enquit-il. J'aurai le temps d'y faire un tour, car je viens de m'accorder un mois de vacances.

— Vous avez l'intention de les passer ici ?

La jeune femme paraissait surprise.

— Pourquoi pas ? rétorqua-t-il.

Il retira sa veste, la jeta sur son épaule.

— Je suis né dans cette ville et j'y mourrai probablement. Est-ce que cela vous dérange de me voir ici ?

— Pas du tout ! protesta-t-elle, les joues roses de confusion.

Il jeta un regard à ses chevilles heureusement intactes.

— Je vais vous reconduire jusqu'à votre voiture, annonça-t-il. Où est-elle ?

— Au coin de la rue, mais ce n'est pas la peine…

— Vous n'allez pas chez les Rogan ?

— La famille ne me connaît pas, monsieur Conroy.

— Appelez-moi Jude. Je trouverai votre galerie, j'en suis sûr.

— Vous n'aurez aucun mal, tout le monde la connaît. C'était la galerie d'art de Tony Mandel. Vous n'avez pas connu Tony ?

— Si j'ai connu Tony ? s'exclama Jude. Il venait régulièrement à la maison. Mon père lui achetait des tableaux avant même qu'il ne devienne célèbre. Je le croyais à l'autre bout du monde.

— Vous ne vous trompiez pas. En ce moment, il se trouve à Londres où sa dernière exposition a été un succès. Il a vendu toutes ses toiles. Nous restons en relations, c'est un ami de ma famille.

Comme ses yeux s'attardaient sur elle, la jeune femme ajouta, les sourcils froncés :

— Pourquoi me regardez-vous ainsi ?

— Pardonnez-moi, mais je ne peux m'empêcher de me demander pourquoi vous avez assisté aux funérailles de Lester Rogan, si les Rogan ne vous connaissent pas.

Cate leva la tête pour considérer l'homme debout devant elle.

Il avait l'attitude pleine d'assurance habituelle aux hommes grands et il était doté, en outre, d'un superbe corps d'athlète. Un frisson la parcourut.

— Est-ce que cela a de l'importance ? répliqua-t-elle sur un ton moins amical.

— J'avais l'impression que cela pouvait en avoir.

Elle consentit à sourire.

— C'est vous le voyant, maintenant. Au fait, quel est votre signe astrologique ?

— Lion, répondit-il, l'air à la fois indulgent et amusé. Mais l'astrologie n'est pas considérée comme une science, mademoiselle Costello.

Elle se risqua à plonger son regard dans le sien, juste l'espace d'une seconde. Elle avait entendu parler de sa séduction naturelle, de son élégance, mais elle ne s'attendait pas à découvrir un tel magnétisme chez cet homme. Qui pourrait rester insensible au sourire qui creusait sa joue d'une fossette irrésistible ?

— Dommage, j'allais vous donner le nom des minéraux qui sont bénéfiques aux Lion. Tant pis pour vous.

— Je n'ai pas dit que cela ne m'intéressait pas, répliqua son interlocuteur, une lueur moqueuse dans les yeux. Mais pour l'instant, une autre question me tracasse. Puis-je vous la poser ?

— Je ne suis pas sûre d'être en mesure d'y répondre. Essayez si vous voulez.

— Quelle est la couleur de vos cheveux ? Le fait que vous les cachiez m'intrigue.

— Je n'ai peut-être pas envie de les montrer parce qu'ils ne sont pas montrables aujourd'hui ? Ça arrive à tout le monde.

— Pas à vous, j'en mettrais ma main au feu.

— Puisque vous en êtes si sûr... Je vais satisfaire votre curiosité : je les ai cachés parce que je ne voulais pas me faire remarquer.

D'un geste vif, elle retira son foulard.

Un mouvement de la tête, et ses cheveux se répandirent sur ses épaules.

Jude Conroy retint visiblement son souffle.

La brise emmêlait ses boucles luisantes d'un éclat rosé animé de reflets ambrés sous le soleil. Elle leva les bras pour les tordre en chignon sur la nuque.

— Je comprends ce que vous voulez dire, admit-il au bout d'un moment en la fixant de ses incroyables yeux bleus. Mais vous pensez que votre foulard vous mettait à l'abri des regards ?

Elle repoussa une mèche vaporeuse derrière l'oreille, en proie à un trouble parfaitement intempestif.

— Ce n'est pas la peine de me conduire jusqu'à ma voiture, se contenta-t-elle d'affirmer, éludant la question. Merci pour votre offre.

— Une rousse prend des risques pour sa peau en marchant en plein soleil ! Allons, venez.

— J'utilise une bonne crème de protection, vous savez. Enfin, si vous insistez…

Elle monta docilement dans la voiture en se demandant si elle était encore en possession de toutes ses facultés.

Tandis que le véhicule roulait en direction du portail, ils parlèrent de tout et de rien, de la pureté du ciel, de la magnificence des arbres en fleurs, du soin que le gardien mettait à entretenir les espaces verts entre les tombes. A la sortie du cimetière, son conducteur la déposa à l'endroit qu'elle lui indiqua.

Jude accéléra en enfilant l'avenue en direction de la mer. Seulement alors, il s'aperçut qu'il ne savait toujours pas ce que la mystérieuse Cate Costello faisait aux funérailles de Lester Rogan.

Dix minutes plus tard il arrivait au manoir des Rogan, une demeure à l'architecture banale, mais impressionnante par ses dimensions et la splendeur des terres tropicales qui l'entouraient. Entrée sécurisée par un système électronique, allée majestueuse bordée de palmiers cubains, maisonnette de gardien, piscine, coquettes dépendances réservées aux invitées… tout, dans ce lieu élu par le richissime Lester Rogan, respirait le luxe et l'opulence.

Une quantité considérable de voitures étaient garées le long de l'allée et sur la pelouse. Jude trouva une place entre deux berlines rutilantes, l'esprit encore absorbé par sa rencontre avec Cate Costello.

Pour quelle raison avait-elle assisté aux funérailles de Rogan si elle n'avait aucun lien avec la famille ? Mais peut-être avait-elle fait allusion seulement à Myra, Ralph et Melinda ? Car on pouvait supposer qu'elle connaissait au moins le défunt. Dans quelles circonstances l'avait-elle rencontré ? Par l'intermédiaire de Tony Mandel ? Lester avait acheté le domaine de Tony, y compris la galerie, dans l'intention de le transformer en complexe commercial et hôtelier. Cate était donc sa locataire. Oui, ça tenait debout, conclut Jude. Mais pourquoi la jeune femme ne le lui avait-elle pas dit ? Et pourquoi diable s'était-elle tenue à l'écart pendant la cérémonie ?

Il se jura d'en avoir le cœur net.

Une heure plus tard, il sortait le testament de son attaché-case.

Les visiteurs avaient tous quitté le manoir, laissant la famille et l'avocat dans le grand salon. Ils étaient assis dans de confortables fauteuils autour d'une table basse orientale sur laquelle Jude posa le document. Il sentit les regards de la veuve et des enfants braqués sur lui.

— Est-ce que je peux commencer ? s'enquit-il.

— Un moment, intervint Ralph. J'ai besoin d'un remontant.

Il dressa son imposante carrure et se dirigea vers le bar.

— Quelqu'un veut boire un verre ? ajouta-t-il, jetant un coup d'œil par-dessus son épaule.

Malgré son abattement, Myra trouva le courage de protester :

— Est-ce que tu n'as pas assez bu comme ça ?

— Tu tiens une comptabilité de ce que j'avale, maman ? rétorqua Ralph.

Il se versa une copieuse ration de whisky à laquelle il ajouta quelques glaçons.

— Tu en veux, Jude ?

— Non, merci.

Jude n'avait qu'un désir : mener à bien sa mission comme l'aurait fait tout avocat.

Ralph revint s'installer en face de lui, de l'autre côté de la table basse, son verre à la main, ses larges épaules affaissées.

Jude prit la longue enveloppe, la souleva de façon à montrer que le sceau était intact, puis il l'ouvrit et commença à lire d'une voix professionnelle :

— « Ceci est mon testament. Il exprime mes dernières volontés. Moi, Lester Michael Rogan… »

Immédiatement, il s'interrompit : Myra venait de pousser une plainte déchirante.

Manifestation d'une douleur sincère ou comédie ? s'interrogea-t-il. Elle n'avait aucune raison de regretter un homme comme son époux. Mel saisit la main de sa mère et la tint dans la sienne. Plus pour l'inciter à se taire que par compassion, semblait-il.

— Est-ce trop te demander de conserver ton sang-froid, maman ? intervint sèchement Ralph. Continue, Jude.

Jude poursuivit :

— « A ma femme Myra… »

Aucune formule de tendresse, songea-t-il. Les mots habituellement employés dans ces circonstances, tels que « chérie », « bien-aimée », n'appartenaient pas au vocabulaire des Rogan.

Un autre gémissement échappa à la veuve. Cette fois, ses enfants l'ignorèrent, avides d'apprendre ce que leur père leur avait laissé.

— « A ma femme Myra, reprit Jude, je lègue la totalité de la maison familiale et ce qu'elle contient, la terre, les dépendances, plus les dix hectares attenants. En outre, elle recevra la somme de dix millions de dollars qui devrait lui permettre de finir ses jours confortablement. Au cas peu probable où elle se remarierait, la maison et les terres reviendraient à mon fils, Ralph.

Myra disposerait alors des meubles et autres objets comme elle l'entendrait. »

Jude échangea un regard avec Myra, qui avait porté la main à son cœur. Il avait pensé que la veuve recevrait beaucoup plus. On pouvait estimer la fortune de Lester à environ quatre-vingt-cinq millions de dollars. Peut-être même à cent millions. Mais Myra ne se battrait pas pour obtenir davantage, pas plus qu'elle ne se remarierait. Sur ce dernier point, il partageait l'avis de Lester.

Il continua :

— « A ma fille Melinda… »

Aucune expression d'affection, non plus, remarqua-t-il en poursuivant :

— « Je lègue une rente annuelle de soixante-quinze mille dollars qui lui sera versée jusqu'à ce qu'elle se marie. Le jour de ses noces, elle recevra, en paiement final, cinq millions de dollars. »

Pas de cadeau, pas de souvenirs, pas même une paire de ses boutons de manchettes préférés. Lester avait-il le cœur sec au point d'en oublier les règles élémentaires de bienséance ?

— Quel radin ! marmonna Ralph.

Il ne put, cependant, s'empêcher d'émettre un petit rire de triomphe. Ce qu'il venait d'entendre ne devait signifier qu'une chose à ses yeux : c'était à lui que revenait le pactole. Après ces longues années d'humiliations, il allait enfin pouvoir mener la grande vie. Une lueur presque indécente brilla dans ses yeux injectés de sang par l'excès de whisky.

— « A mon fils Ralph, reprit Jude, je lègue ma collection de trophées sportifs, mes voitures, mon yacht le *Sea Eagle*, mon portrait peint par Dargy, et la somme de cinq millions de dollars en espérant qu'il fera enfin quelque chose d'utile dans la vie. »

Il s'interrompit, jeta un bref coup d'œil autour de lui. La tension, dans le salon, était si épaisse qu'on aurait pu la couper au couteau.

— Continue, continue, ordonna Ralph.

Il quitta son siège brusquement comme si on venait de l'agresser avec un pic à glace.

— Il m'a laissé autre chose. Il m'a forcément laissé autre chose ! Je suis l'héritier.

— Bien sûr qu'il t'a laissé autre chose, mon chéri, dit Myra, dont le visage blême s'était brusquement couvert de plaques rouges.

Melinda, manifestement satisfaite de son sort, renchérit :

— Bien sûr qu'il y a autre chose. Je t'en prie, rassieds-toi, Ralph. Continue, Jude.

Jude sentit un étau lui étreindre la poitrine. Il n'avait aucune envie de lire les mots qui suivaient.

— « A Jude John Conroy, le fils du seul ami à qui j'aie jamais accordé ma confiance, Matthew Conroy, le plus honorable des hommes, et eu égard au dévouement de Jude à son père et à ses propres mérites, je lègue la somme de cent mille dollars, en sachant qu'il en fera bon usage. Le reste de ma fortune — terres, maisons, fermages, actions —, je le lègue à Catherine Elizabeth Costello… »

A ces mots, Ralph laissa échapper un rugissement de bête furieuse qui fit sursauter sa mère et sa sœur. Seul Jude parvint à demeurer impavide.

— Il faut que vous le sachiez, intervint-il, j'ignorais tout de ce testament. Et je suis aussi stupéfait que vous de voir mon nom y figurer.

— Je ne veux plus entendre un seul mot de ce maudit document, hurla Ralph.

Là-dessus, il saisit son verre et le lança à l'autre bout de la pièce où le cristal se brisa contre une grande sculpture de bronze représentant un cavalier de rodéo monté sur un cheval rétif. La rage, le choc et le mépris déformaient son visage.

— Est-ce que le vieux avait complètement perdu la raison ? demanda-t-il ensuite aux autres d'un air égaré.

Devant leur silence, il poursuivit :

— Catherine Elizabeth Costello. Qui est cette femme ? Je n'ai jamais entendu ce nom. S'agit-il de sa maîtresse ? Quelle emprise avait-elle sur lui ? Avait-il l'intention de l'épouser ? Tu étais au courant, maman ? Je n'arrive pas à le croire, cela ressemble au pire des cauchemars.

Jude luttait désespérément pour maîtriser sa propre émotion. Maintenant, il se demandait si Cate Costello et les ennuis n'allaient pas de pair.

Il fixa successivement chacun des membres de la famille.

— Aucun de vous ne la connaît ?

Myra hocha la tête énergiquement. Au moins, elle paraissait être sortie de son état léthargique.

— Moi, je la connais, reconnut Melinda. Elle tient une galerie. La Grotte aux Cristaux, à côté de la plage.

— Qu'a-t-elle à faire avec nous ? beugla son frère, tendant la main vers le testament dans l'intention évidente de le mettre en pièces.

D'un geste prompt, Jude mit le document hors de son atteinte.

— Tu savais ? lui demanda alors Ralph.

Jude secoua la tête. Pour une fois, il ne lui donnait pas tous les torts. Qui était Catherine Elizabeth Costello ? Et qu'avait-elle représenté dans la vie de Lester Rogan ?

— Vous m'avez tous les trois vu briser le sceau, rappela-t-il. Je suis aussi surpris que vous.

Il se garda d'annoncer qu'il avait déjà rencontré l'héritière du défunt. D'abord pour la protéger, ensuite pour éviter un affrontement avec Ralph.

Les sourcils froncés en un effort de concentration, Melinda rassembla ses souvenirs.

— Elle est jeune, plus jeune que moi. Et très belle. Elle a des cheveux superbes, d'une couleur rare, roux avec des reflets dorés.

Je l'ai vue en ville assez souvent, mais nous ne nous sommes jamais parlé.

Ralph croisa ses bras puissants.

— Elle est venue s'installer ici il y a quelque temps, je me rappelle maintenant. C'est la pépée qui a repris la galerie de Mandel. Des copains à moi m'en ont parlé, ils m'avaient même incité à lui rendre visite. Comme si j'avais le temps de me payer du bon temps avec elle ! Je ne comprends pas, qu'est-ce qu'une belle et jeune nénette avait à faire avec cet horrible vieux bonhomme ?

Myra exhala un soupir d'indignation.

— Personne ne se serait avisé de traiter ton père de vieux et horrible bonhomme ! se récria-t-elle, continuant de donner l'image d'une veuve éplorée. Il avait à peine soixante ans. C'est jeune à notre époque, je te rappelle. Ton père était un bel homme. Comme toi. Quoique cela ne te ferait pas de mal de perdre quelques kilos, et sans tarder ! Je me demande comment tu peux encore tenir dans tes vêtements ! Pour l'amour de Dieu, Jude…

Elle détourna son attention de son fils proche de l'apoplexie et continua :

— Il faut que tu nous conseilles, nous sommes sous le choc. Tu dis que Lester laisse la majorité de ses biens à une jeune femme qu'aucun de nous ne connaît, c'est bien cela ?

— Effectivement, madame Rogan. Je n'y comprends rien moi-même. Je pensais sincèrement que le domaine serait partagé entre les membres de la famille. Pourquoi votre mari a agi ainsi, je n'en ai aucune idée. Mais je suis son exécuteur testamentaire et, en tant que tel, je vous promets que je le découvrirai. J'ai mes responsabilités.

— Tu parles ! railla Ralph.

A l'évidence, toutes les jalousies et les frustrations accumulées durant sa vie remontaient en surface. La destruction de ses espoirs était inscrite sur son visage.

— J'ai toujours su que mon père était un type égoïste et sans scrupule, poursuivit-il. Mais je n'aurais jamais imaginé qu'il était fou à lier. Bon pour l'asile ! Il m'a dépouillé. Il a dépouillé toute la famille. Même mort, il s'arrange pour nous punir. Mais il ne s'en tirera pas comme ça ! L'argent me revient de droit.

— *Nous* revient, rectifia Melinda. A maman aussi.

— Qu'est-ce que vous pourriez bien en faire, je me demande ?

Ralph dévisagea sa sœur pendant un moment puis se leva pour se servir un autre verre de whisky.

— Toi et maman, vous n'y connaissez rien en affaires. Vous avez passé votre vie à dépenser l'argent qu'il vous donnait. Il ne vous aimait pas, c'est certain, mais vous avez toujours eu ce que vous vouliez. Tu n'as même jamais essayé de trouver un travail, Mel. Tu en connais beaucoup, des nénettes de ton âge qui restent les bras croisés en attendant que la manne leur tombe du ciel ?

— Cela suffit, maintenant, Ralph, intervint Myra d'une voix étonnamment sévère. J'avais besoin de Mel à la maison.

— Pour que vous regardiez ensemble les fleurs pousser ?

Ralph rejeta sa tête en arrière et émit un rire sardonique avant d'ajouter :

— Il vaut mieux entendre ça que d'être sourd.

Ensuite, il se tourna vers Jude.

— C'est toi le gros caïd en matière de droit, Conroy. Qu'est-ce que tu penses de la situation ?

Sans relever la provocation, Jude répondit d'une voix parfaitement calme :

— C'est gentil à toi de me demander mon avis, Ralph. Ce testament ne pourrait être invalidé qu'en un seul cas : s'il était reconnu que ton père était dément au moment où il l'a établi. Or, je ne connais personne dans la région qui témoignerait en ce sens. Ta mère a des droits sur la maison, son contenu, etc. Ils ont été respectés. Des droits que toi et Mel n'avez pas. Quant à l'argent, votre père était libre d'en disposer comme il l'entendait. Il vous en a laissé une partie. Ce qui, en termes juridiques, veut dire que si l'un d'entre vous contestait le testament, vous perdriez tout.

A ces mots, Ralph asséna un violent coup de poing sur la table, laissant échapper sa rage.

— Et si le vieux avait vraiment perdu la raison ? Si cette fille l'avait embobiné ? Si elle l'avait manipulé pour qu'il refasse le testament en sa faveur ? J'aimerais bien savoir d'où elle vient !

« Nous sommes deux à nous poser la question », songea Jude.

— Effectivement, vous pourriez contester le testament sur cette base, dit-il, sincèrement désolé pour Ralph. Mais mon devoir d'avocat est de vous mettre en garde. En entamant une procédure, vous risquez de vous retrouver déshérités. Plus précisément, c'est votre mère qui a les premiers droits sur la succession. Si vous voulez vous battre, c'est à elle d'engager l'action. Si elle perdait, le résultat serait catastrophique. Il me reste une seule chose à faire : contacter cette jeune femme et la mettre en relation avec vous.

Ralph lui décocha un regard hostile.

— Même ton père, l'homme honorable, nous a trahis, marmonna-t-il.

— Laisse mon père en dehors de cela, veux-tu.

Melinda foudroya son frère du regard.

— Tu n'as pas honte de parler, ainsi ! s'indigna-t-elle. Tu sais combien papa respectait M. Conroy. Et il s'intéressait aussi beaucoup à Jude.

Ralph se contenta de la toiser d'un air méprisant puis reporta son attention sur Jude.

— Quand tu auras vu cette fille, déclara-t-il, n'oublie pas de venir nous faire un compte rendu de ta visite. Et le plus vite possible.

— Je ne suis pas ton avocat, Ralph. Je suis l'exécuteur testamentaire de ton père.

Jude se tourna vers Myra et, d'un ton plein de compassion, continua :

— En tant qu'ami de la famille, madame Rogan, je ferai tout ce qui est en mon pouvoir pour vous aider.

Elle se leva, serra la main qu'il lui tendait.

— Merci infiniment, Jude. Nous avons vraiment besoin de ton aide. Mon fils a besoin de ton aide. Je n'arrive pas à réaliser ce qui nous arrive. C'est un tel choc.

— Je comprends, madame Rogan, croyez-le.

— Je te raccompagne, proposa Melida.

— Je suis tellement heureuse que tu sois là, dit-elle en lui prenant le bras. Ce que cette Catherine Costello a été pour papa, nous le découvrirons bien assez tôt.

Quel lien reliait la mystérieuse beauté rousse au défunt ? Rien que de poser la question, Jude sentait son corps entier se révulser. Il connaissait à peine Cate Costello, pourtant l'idée qu'elle pouvait avoir été la maîtresse d'un homme comme Lester Rogan non seulement lui donnait la nausée mais éveillait en lui une angoisse insupportable.

3.

Jude baissa la vitre et respira avec volupté les odeurs mêlées de l'océan, des fruits tropicaux et des fleurs dont la nature avait généreusement paré le Queensland. Toute cette beauté luxuriante l'aidait à rassembler ses idées. Sans pour autant distraire son esprit de la mystérieuse Cate Costello. A croire qu'elle lui avait jeté un sort !

Décidément, il ne supportait pas l'idée qu'elle ait pu être la maîtresse de Lester Rogan, pas plus qu'il n'admettait qu'un autre homme ait pu toucher le corps de cette femme.

Il savait cette réaction insensée — il ne la connaissait même pas !

Et s'il s'était mépris sur la nature de ses relations avec Rogan ? Si celui-ci avait eu une fille naturelle dont il avait tu l'existence ? Quoi qu'il en fût, elle avait menti en prétendant ne pas connaître la famille.

Or, il détestait le mensonge.

Il se remémora les yeux d'un vert incomparable, les sourcils sombres à la ligne délicate, les cils épais, la somptueuse chevelure rousse. Rien dans son apparence physique ne rappelait Lester Rogan.

Par ailleurs, si celui-ci avait eu un enfant hors mariage, pourquoi l'aurait-il caché ? Il régnait sur tout et tout le monde. Sa carrière n'aurait pas souffert de cette révélation, pas plus que ses rapports déjà délabrés avec Myra, Melinda et Ralph. Alors, quelle vérité allait jaillir de la boîte de Pandore qui venait de s'ouvrir ?

Après avoir élaboré une demi-douzaine de scénarios aussi haïssables les uns que les autres, Jude arriva chez lui.

Un ancien compagnon de pêche de son père, Jimmy Dawson, s'occupait de la propriété, aussi trouva-t-il le jardin épargné par la végétation envahissante. Il jeta un regard nostalgique à l'élégante maison blanche dressée contre le ciel turquoise. Il éprouvait toujours la même émotion en retrouvant la haute demeure flanquée de terrasses spacieuses, coiffée d'un toit galvanisé peint en vert et protégée de la chaleur tropicale par des volets émeraude.

Un large escalier de six marches conduisait à l'entrée. Comme du temps de sa mère, deux énormes pots de céramique débordant d'une masse de corolles claires encadraient la porte. Des palmiers majestueux s'élevaient dans le parc, jetant leur ombre précieuse sur le tapis vert des pelouses. Comme ceux du cimetière, les poincianas étaient en pleine floraison, et les magnolias resplendissaient d'une blancheur crémeuse. Dans les plates-bandes, cannas et gardénias étaient revenus à l'état sauvage. Un épais écran de jasmin avait envahi les clôtures. Sans doute le vieux Jimmy — il allait sur ses soixante-dix ans — n'avait-il plus assez de force physique pour en venir à bout.

Jude l'avait averti par téléphone de son arrivée. La maison avait été aérée, et il y avait des provisions dans le réfrigérateur et dans le placard de la cuisine.

Enfant, Jude avait toujours considéré Jimmy comme un oncle. Celui-ci aurait dû participer à la partie de pêche au cours de laquelle son père avait péri, mais ce jour-là un autre de ses amis avait été mordu par un serpent, et Jimmy l'avait conduit à l'hôpital.

A l'évocation de ce souvenir, la gorge de Jude se serra.

— Il y a quelqu'un ? appela-t-il malgré lui, sachant que jamais plus il n'entendrait la réponse qu'il espérait.

Cette question — « Tu es là, papa ? » —, combien de fois l'avait-il lancée lorsqu'il rentrait de l'école... Il lui sembla entendre le parquet craquer, et il ne put s'empêcher de penser que, peut-être, son père venait l'accueillir.

Pourtant, il ne croyait pas aux fantômes. Même si, enfant, il avait entendu dire que Spirit Cove, la crique près de la maison, était hantée.

Autrefois, il y avait de cela une soixantaine d'années, une jeune femme tombée éperdument amoureuse d'un homme marié était venue se noyer là. Depuis, on racontait qu'elle errait sur la plage, drapée d'un vaporeux voile blanc que la brise faisait flotter autour d'elle. Beaucoup de gens prétendaient l'avoir vue. Jimmy lui-même jurait l'avoir croisée et lui avoir parlé avant qu'elle ne se dématérialise devant ses yeux. Curieusement, sa propre mère, dont chacun connaissait l'esprit rationnel, avait affirmé avoir vécu la même expérience. Si bien qu'une fois Jude s'était aventuré seul sur le rivage par une nuit étoilée, rien que pour pouvoir se vanter de l'avoir aperçue. Mais il s'était déplacé pour rien.

Il commença à flâner à travers la demeure, visitant chacune des pièces dont la dernière ouvrait sur une immense terrasse où ses parents recevaient leurs amis. On vivait dehors sous les tropiques. Il aimait cette partie de la maison d'où l'on découvrait les jardins. Plus loin, l'océan offrait au regard son étendue bleue, lisse. Comme il avait été heureux dans ce lieu paradisiaque ! Un bonheur cruellement brisé à douze ans par la trahison de sa mère...

A quoi servait de remuer ces sombres pensées ? Jude se ressaisit, prit son téléphone portable et appela Jimmy pour le remercier. Il en profita pour l'inviter au restaurant le lendemain. Ils déjeuneraient en discutant du bon vieux temps.

Dès qu'il eut remis son portable dans sa poche, il éprouva le besoin de bouger.

Il sortit, contourna les cocotiers géants dont certains présentaient une inclinaison impressionnante due à la violence du vent, se déchaussa, sentit avec bonheur ses pieds s'enfoncer dans le sable chaud, traversa les dunes parsemées de minuscules fleurs jaunes. A cette heure de l'après-midi, la mer arborait un ton bleu roi profond. Jude s'approcha du rivage et resta longtemps à contempler la surface miroitante déployée sous le soleil jusqu'à l'horizon.

Ses pensées dérivèrent vers Cate Costello. Le visage au teint de magnolia auréolé de cheveux cuivrés se mit de nouveau à le hanter, chassant les images du passé. Bon sang ! Cette femme possédait des dons de magicienne pour parasiter ainsi son cerveau !

Mécontent de ce qu'il considérait comme une faiblesse, il rentra pour dîner de sandwichs au poulet et d'un pot de café, l'esprit toujours habité par la mystérieuse beauté rousse. Il était 19 heures lorsqu'il prit sa décision. Dix minutes plus tard, il montait en voiture et mettait le cap sur la ville.

Peut-être aurait-il dû la prévenir par téléphone ? Mais elle aurait pu trouver un prétexte pour ne pas le recevoir : elle savait qui il était. De toute façon, étant donné la situation, il avait des excuses pour lui rendre visite sans l'avertir. N'était-il pas l'exécuteur testamentaire de Lester Rogan dont elle venait d'hériter une fortune immense, laissant la famille du défunt dans le désarroi ?

Une famille qu'elle prétendait ne pas connaître. Les mêmes questions recommencèrent à le torturer : quel lien l'unissait au tyrannique Rogan ? Avait-elle été sa maîtresse ?

En fait, comme l'avait fait remarquer Myra, on ne pouvait qualifier Lester Rogan de vieux ni de repoussant. Grand, vigoureux, impressionnant par sa taille autant que par sa personnalité hors du commun, il était capable de séduire. D'ailleurs, sa vie durant, il avait eu nombre de maîtresses, ce n'était un secret pour personne. Mais ses conquêtes féminines se comptaient habituellement parmi des veuves ou des divorcées d'âge mûr, jamais on ne lui avait connu de liaison avec une jeune femme de vingt-deux ans.

Quel rôle Catherine Elizabeth Costello avait-elle joué dans sa vie ? Il le découvrirait coûte que coûte.

Quand il arriva à la Grotte aux Cristaux, l'ancienne galerie d'art de Tony Mandel lui apparut dans la semi-obscurité. Il constata que le lieu avait peu changé et se gara le long du trottoir. A cet instant seulement, il aperçut le coupé rouge arrêté devant la boutique.

La voiture de Ralph ! Immédiatement, tous ses muscles se tendirent. La colère et une sorte de panique le submergèrent.

Quand il avait quitté le manoir Rogan, cet après-midi, le fils du défunt avait bu plus que de raison. De plus, il se trouvait sous l'emprise d'une rancœur terrible à l'égard de Cate Costello. Avait-il, poussé par la haine, décidé de venir demander des comptes à celle dont son père avait fait sa principale légataire ?

Contournant le bâtiment, Jude se rua vers l'entrée secondaire. Les battements de son cœur affolé trahissaient son angoisse. Pourquoi n'avait-il pas prévu une réaction de la sorte de la part d'un homme violent, pris de boisson ?

L'arrière de la maison était bien éclairé. Sous les lumières extérieures, le jardin dévoilait ses richesses : buissons de gardénias, poincianas en fleurs, cocotiers altiers balançant leurs palmes dans la brise, pelouse parsemée de centaines de petites fleurs blanches.

Essoufflé, Jude arriva près de l'escalier. Au-dessus de sa tête, le bruissement d'ailes d'un oiseau de nuit le fit tressaillir. Mais à la seconde suivante, des cris venus de l'intérieur suscitèrent en lui un choc.

— Sortez ! suppliait une voix féminine. Allez-vous-en ! Je vous en prie, partez !

Jude gravit les marches quatre à quatre.

Ce qu'il vit à travers la porte vitrée lui glaça le sang : dans la vaste pièce confortablement meublée servant de cuisine et de salle de séjour, la locataire des lieux reculait devant son visiteur menaçant, un bras levé devant elle. Ralph Rogan avançait lentement, le visage déformé par un rictus inquiétant. Cate Costello agrippa le dossier d'une chaise comme pour s'en servir de bouclier. Ses cheveux ruisselaient en cascade cuivrée sur un chemisier dont le décolleté révélait la naissance de ses seins. Elle était vêtue d'un short blanc et ne portait pas de chaussures. A l'évidence, elle s'apprêtait à passer une soirée tranquille chez elle quand Ralph était arrivé. Dans quelques instants, il serait sur elle. Déjà, ses mains épaisses s'apprêtaient à empoigner la jeune femme dont la beauté rayonnante exacerbait l'appétit sexuel hérité de son père.

Une décharge d'adrénaline propulsa Jude à l'intérieur de la maison.

Au bruit de la porte qui s'ouvrait avec éclat, l'homme et la femme se retournèrent. Cate Costello considéra le nouveau venu, ses yeux émeraude écarquillés de stupeur, tandis que son agresseur rugissait :

— Décidément, tu n'as pas changé, Conroy ! Toujours prêt à te mêler de mes affaires. Que diable fais-tu… ?

Il s'interrompit, la bouche ouverte, lorsque la jeune femme traversa la pièce avec la grâce d'une ballerine, ses cheveux virevoltant autour d'elle, pour venir se réfugier derrière Jude.

— Grâce à Dieu, vous êtes ici, murmura-t-elle. Vous m'avez sauvée.

— Et si vous m'expliquiez pourquoi vous l'avez laissé entrer ? dit Jude, à la fois en colère et troublé de la sentir si proche.

— Je ne l'ai pas laissé entrer. Je lui ai demandé de partir, mais il m'a poussée dans la maison et a refermé la porte derrière lui. Je n'ai pas réussi à le raisonner.

— Vous le connaissez, n'est-ce pas ?

Cate considéra Ralph qui paraissait stupéfié par la tournure que prenaient les événements.

— Oui, dit-elle, je le connais. C'est Ralph Rogan. Mais je ne l'avais jamais rencontré avant ce soir.

— Drôle de manière de se présenter devant une dame, remarqua Jude.

Il marcha vers Ralph.

— Dans quelle intention es-tu venu ici ? l'apostropha-t-il d'une voix vibrante de fureur.

L'autre homme commença à reculer. Blême de rage, il répliqua :

— Ecoute, Jude, je ne discute pas avec toi. J'avais quelques questions à lui poser. Peux-tu me blâmer pour cela ?

— Il y a de meilleures méthodes que le harcèlement pour obtenir des réponses.

La respiration de Ralph s'accéléra. Il avait eu l'occasion de connaître de près les poings de Jude quand ils étaient gamins. Il n'avait pas envie de renouveler l'expérience.

— Elle a pris mon père pour un imbécile, elle l'a manipulé, dit-il, continuant de reculer. Tu le sais. Je voulais le lui faire avouer.

— L'envie me démange de t'étriper comme autrefois, Ralph. Tu n'as pas retenu la leçon, n'est-ce pas ?

Il fallait que cela cesse. Cate dut en prendre conscience, car d'un mouvement vif elle vint se placer entre eux deux.

— Arrêtez !

Elle se tourna vers Jude, ses yeux verts emplis de détresse.

— Il n'en vaut pas la peine.

Sans quitter Ralph du regard, Jude ordonna :

— Ne restez pas là !

Elle ne bougea pas d'un pouce.

— C'est ma place. Je ne veux pas que vous vous battiez à cause de moi. Je veux seulement qu'il s'en aille.

— Vous ne voulez pas appeler la police ?

— Je veux qu'il s'en aille, répéta la jeune femme au bord des larmes. Il est complètement fou. Il a dit qu'il mettrait le feu à la maison, il a dit qu'il m'obligerait à quitter la ville.

Jude considéra l'autre homme.

— Tu as dit cela, Ralph ? demanda-t-il d'une voix coupante.

Puis, à l'adresse de Cate, il poursuivit :

— Téléphonez à la police. Vous pouvez porter plainte.

— Qu'elle ne s'avise pas de le faire ! rugit Ralph. Bon sang, Conroy, de quel côté es-tu ? Pourquoi n'as-tu pas fait ce que tu étais censé faire ? Pourquoi n'as-tu pas tiré tout de suite l'histoire au clair avec cette petite garce ?

Les pommettes de la jeune femme s'embrasèrent.

— Je retiens ce que vous venez de dire, dit-elle. Et cette fois, je vais porter plainte. Pour insultes. J'appelle la police tout de suite. Vous vous expliquerez avec eux, espèce de malotru !

Déjà elle se dirigeait vers la cuisine, saisissait le téléphone posé sur le comptoir.

— Ne faites pas ça ! s'écria Ralph. Reposez ce téléphone ! Dis-lui de rester tranquille, Jude. Je ne veux pas d'histoire.

Jude émit un rire incrédule.

— Au contraire, je lui conseille fortement d'appeler. Je suis témoin. Je t'ai vu en train de la menacer, et si je n'étais pas arrivé à temps, tu l'aurais agressée physiquement.

Les jambes robustes de Ralph mollirent. Il s'effondra dans un fauteuil, essuya d'un revers de main son front humide de transpiration.

— Dis-lui d'arrêter, Jude, supplia-t-il. Je jure que je ne lui aurais fait aucun mal. J'essayais seulement de discuter avec elle. Je ne pensais pas qu'elle paniquerait à ce point. Il faut dire aussi qu'elle m'a mise hors de moi.

La haine le dévorait intérieurement, Jude en avait la certitude. Comme elle dévorait autrefois le garçon brutal et lâche dont il avait gardé le souvenir.

— Je suis désolé, poursuivit Ralph, tournant vers Cate son visage ravagé par l'alcool et la rage. Je ne voulais pas vous faire peur. Je vous présente mes excuses.

Elle reposa l'appareil lentement, se mordillant les lèvres. Elle était nouvelle en ville et tenait un commerce. Un scandale ne lui rapporterait que des ennuis. Mieux valait en effet l'éviter.

— Contrairement à ce que vous prétendez, vous vouliez me faire peur, j'en suis certaine, affirma-t-elle.

Elle était certaine aussi qu'il serait allé jusqu'au viol. Elle l'avait lu dans son regard. Un genre de regard qu'elle avait déjà eu l'occasion de croiser.

— Je ne me méfiais pas, poursuivit-elle. Vous m'avez attrapée par surprise, brutalisée. Je frémis à la pensée de ce qui se serait passé si Jude n'était pas arrivé.

— « Jude » ? s'exclama Ralph.

Ses yeux dans lesquels brillait une lueur de folie se portèrent successivement sur la jeune femme debout en face de lui et sur Jude.

— Vous vous connaissez tous les deux ?

— Non, répondit Jude. Mais tu m'as appelé par mon prénom, rappelle-toi.

Ralph se leva, l'air hagard, tel un boxeur venant de recevoir un coup au plexus. Il dut s'appuyer au dossier du fauteuil pour conserver l'équilibre.

— Je ne te crois pas, dit-il. Tu la connais. Ton père la connaissait. Le mien aussi, ce vieux filou. Vous la connaissez tous.

Ces paroles mirent Jude hors de lui. Il attrapa l'homme par le col de sa veste, l'obligea à lui faire face. Et, d'une voix qui n'admettait pas de réplique, il rétorqua :

— Je n'ai jamais posé les yeux sur Mlle Costello avant ce jour. Ni elle sur moi. Mon père n'a jamais mentionné son nom devant moi. Je t'ai dit de le laisser en dehors de ça ! C'était un homme digne de confiance.

— D'accord, d'accord, concéda Ralph, essayant en vain de se libérer de son emprise. Tout de même, il y a quelque chose de bizarre dans cette histoire.

— Là-dessus, je partage ton avis.

Jude finit par relâcher Rogan sans pour autant baisser sa garde.

— Je veux que vous partiez, répéta Cate, pâle comme un linge. Et ne vous avisez pas de revenir, sinon je vous dénonce à la police. Je ne sais pas ce que vous me voulez, mais je sais que je n'ai rien à faire avec vous.

Ralph se gratta le front comme s'il tentait de recouvrer ses esprits.

— Tu ferais bien de lui parler, Conroy, dit-il. Je me demande à quel petit jeu elle joue.

— A quel petit jeu je joue ?

— Ne faites pas l'innocente. Vous savez très bien ce qui m'a amené chez vous, ma belle. Je voulais connaître la nénette qui a embobiné mon père. Je comprends maintenant pourquoi il s'est laissé manipuler, il n'a pas dû s'ennuyer avec une jolie pouliche comme vous.

Les yeux verts de Cate interrogèrent Jude.

— Qu'est-ce que c'est que ce délire ? De quoi parle-t-il ?

L'espace de quelques secondes, il la crut presque. Elle aurait mérité l'oscar de la meilleure actrice.

— Vous savez pertinemment de quoi il s'agit, j'en suis certain, mademoiselle Costello, répondit-il. Vous connaissez la raison de ma présence dans votre ville. Vous devez aussi savoir pourquoi Ralph a décidé de vous rendre visite et vous pouvez vous estimer heureuse que je sois arrivé à temps.

Cate le considéra, effarée.

— Vous vous trompez, rétorqua-t-elle d'un ton sec. Je n'ai pas la moindre idée de la raison qui a vous a conduit ici.

— Si vous avez le temps, je vais vous expliquer, déclara Jude.

Ralph s'était prudemment rapproché de la porte.

— C'est une intrigante, affirma-t-il. Je te laisse tirer tout ça au clair avec elle, Conroy. En espérant que tu ne seras pas venu pour rien.

Ils le regardèrent s'éloigner en titubant.

— Tu es ivre, Ralph, constata Jude. Tu n'es pas en état de conduire.

Ralph agita le bras, l'air méprisant.

— Ne me dis pas ce que je dois faire, mec, et n'essaie pas de m'empêcher de prendre ma voiture. Je conduis depuis un bon bout de temps, les flics me connaissent, ils ne m'embêtent jamais.

Cate intervint :

— Espérons que cette fois ils vous feront souffler dans le ballon.

Sur ces mots, elle referma la porte derrière Ralph et s'écroula dans un fauteuil.

Jude s'aperçut qu'elle tremblait.

— Vous l'avez échappé belle, fit-il remarquer. Il aurait pu vous malmener. Je le connais depuis longtemps. Je vais vous préparer du thé, indiquez-moi où je peux trouver…

— Le thé est dans la grosse boîte sur le comptoir, soupira-t-elle. Le sucre, dans la petite, le lait, dans le réfrigérateur.

Elle ferma les yeux.

Jude s'activa, un œil sur Cate Costello. Elle avait l'air anéantie. Mais que pouvait-il savoir de ses véritables pensées ? Il allait falloir jouer serré avec elle.

Enfin, il s'approcha d'elle, une tasse fumante à la main.

— Buvez, ordonna-t-il.

La jeune femme rouvrit les paupières. Elle obtempéra sans discuter, commença à siroter la boisson réconfortante.

Jude s'assit en face d'elle.

— Vous auriez pu appeler la police, dit-il. Le sergent Bill Bennett est un brave homme.

— C'est vrai, j'aurais pu… Mais je suis nouvelle dans la ville. La galerie est très importante pour moi, il faut que je me donne toutes les chances de réussir.

Le regard de Jude arbora une lueur cynique.

— Là-dessus, je ne me fais aucun souci pour vous. Vous êtes en bonne voie, il me semble.

Cate ouvrit de grands yeux.

— Comment le savez-vous ? Vous n'avez pas vu la galerie.

Elle paraissait aussi innocente qu'une enfant. Elle continuait de jouer la comédie ! songea Jude que l'irritation gagnait de nouveau. Cependant, devant le visage de la jeune femme marqué encore par le choc qu'elle avait subi, il sentit son cœur se serrer. Elle avait l'air si vulnérable !

— Nous en parlerons plus tard, répondit-il d'une voix où toute raillerie avait disparu. Pour l'instant, reposez-vous, vous semblez exténuée.

Elle avala le reste de son thé et posa la tasse sur la table basse.

— Vous êtes très attentionné à mon égard pour un homme qui, manifestement, a décidé de se montrer hostile envers moi.

Il se mit à rire.

— J'attends d'avoir réglé cette affaire avant de décider de quoi que ce soit.

— Quelle affaire ? Vous êtes l'avocat de Rogan. Est-ce à ce titre que vous êtes ici ?

— Oh ! Vous avez trouvé cela toute seule ? plaisanta Jude.

Sur le même ton, Cate rétorqua :

— C'est que je suis très intelligente, vous savez.

Recouvrant son sérieux, elle poursuivit :

— Votre père était avocat dans cette ville. Et je sais que vous travaillez pour un cabinet de juristes très important à Brisbane. C'est étonnant comme le nom de votre père et le vôtre reviennent souvent dans les conversations, par ici.

— Donc, j'imagine que vous avez aussi entendu parler de ma mère ? demanda Jude.

Pour cacher son émotion, il se leva et se mit à arpenter la pièce.

Elle hésita, craignant de dire ce qu'il ne fallait pas.

— J'ai entendu dire qu'elle était très belle et qu'on l'aimait beaucoup, répondit-elle. J'ai entendu dire aussi que votre père et vous avez eu le cœur brisé par son départ.

— Cela vous étonne ?

— Non, bien sûr. Je suis désolée pour vous.

Cate semblait sincère. La sympathie qu'il découvrait dans les yeux verts déconcerta Jude. Il cessa de déambuler, s'immobilisa près de la jeune femme.

— Tout ceci appartient au passé, déclara-t-il d'un ton bref. Vous sentez-vous capable, maintenant, de m'expliquer pourquoi vous assistiez aux funérailles ? Vous aviez affirmé ne pas connaître la famille.

Immédiatement, le visage de la jeune femme se crispa.

— Pour quelle raison me serais-je confiée à vous ? rétorqua-t-elle. Vous êtes avocat. Vous auriez pu m'accuser de n'importe quoi. En fait, je ne connais pas la famille de Lester Rogan.

— Mais vous connaissiez Lester ?

Jude étudia la réaction de Cate avec attention, remarqua que la couleur revenait à ses joues.

— Vous étiez amie avec lui ? continua-t-il. Une amie intime ?

Elle paraissait à la fois en colère et ennuyée.

— C'était mon propriétaire. Je lui payais mon loyer. Notre intimité s'arrêtait là.

— Venait-il encaisser le loyer personnellement ?

Elle considéra la silhouette qui la dominait.

— Vous ne pourriez pas vous asseoir ? Cela m'éviterait de lever la tête, expliqua-t-elle.

— Désolé.

Jude reprit sa place dans le fauteuil qu'il occupait tout à l'heure en face d'elle.

— Nous parlions du loyer.

— Que voulez-vous savoir ? S'il était trop élevé ou pas assez ?

— Rien de la sorte. Dites-moi seulement si c'était Rogan qui venait l'encaisser personnellement.

— C'était lui. Il passait tous les quinze jours.

— Tous les quinze jours ! Un homme aussi occupé que Lester Rogan prenait le temps de vous rendre visite tous les quinze jours pour encaisser le loyer. Vous ne trouvez pas cela un peu étrange ?

— Si. Cela m'a étonnée, au début. Mais je n'avais pas mon mot à dire. Après tout, c'était le propriétaire. Il faisait comme bon lui semblait.

— Vous discutiez tous les deux ?

La jeune femme haussa les épaules. Sa peau avait la douceur du satin, ses traits étaient d'une finesse exquise.

— Oui, c'était un homme très intéressant. Il voulait tout savoir sur les cristaux. Et puis, de fil en aiguille, il en est venu à me poser des questions sur moi.

— Et il a réussi à obtenir des réponses ?

Le sarcasme s'était échappé des lèvres de Jude.

Cate secoua farouchement la tête, et ses boucles flamboyantes lui balayèrent le visage.

— Vous faites fausse route si vous pensez qu'il essayait de me séduire, Jude Conroy ! Il s'est toujours montré d'une correction irréprochable. C'était un homme adorable. Extrêmement attentionné.

— Adorable, attentionné ? Je n'aurais jamais pensé voir ces deux adjectifs figurer sur la liste des qualificatifs attribués à feu Lester Rogan ! Lester avait une épouse, mais il préférait prendre son plaisir avec des maîtresses. C'était de notoriété publique.

— En ce qui vous concerne, si j'avais à vous qualifier, l'adjectif « subtil » ne figurerait pas sur ma liste, rétorqua sèchement Cate. Qu'est-ce qui vous tracasse, exactement ? Même si entre Lester Rogan et moi, il y avait eu… Pourquoi êtes-vous si en colère ?

Pourquoi ? Il ne le savait pas lui-même. Avançant l'excuse qui paraissait la plus plausible, il répondit :

— Peut-être parce que je suis son exécuteur testamentaire.

— Qu'ai-je à voir là-dedans ? demanda-t-elle.

Ses yeux verts, d'une pureté de cristal, largement ouverts, elle offrait l'image de l'innocence.

— Cela suffit, maintenant ! s'exclama Jude, hors de lui. Cette petite comédie a suffisamment duré.

Il se leva, recommença à arpenter la pièce.

— Et si, au lieu de laisser votre imagination divaguer, vous m'expliquiez enfin de quoi il s'agit ? rétorqua-t-elle, aussi furieuse que lui. Et arrêtez de bouger, vous me donnez le tournis.

Il revint s'asseoir en face d'elle, plongea son regard dans le sien.

— Vous prétendez vraiment ne rien savoir ? Dans ce cas, préparez-vous à entendre ce que j'ai à vous apprendre : à titre d'avocat de Lester Rogan, je dois vous informer que vous êtes sa légataire principale. En fait, il vous a laissé la plus grande partie de sa fortune. Pourquoi ? C'est exactement la question qui préoccupe sa famille. Avez-vous une réponse à leur donner ? Et d'abord, qui êtes-vous, mademoiselle Costello ? Je n'essaie pas de vous juger, j'ai besoin de connaître la vérité.

En entendant ces paroles, la jeune femme s'était redressée dans son fauteuil.

— Attendez une minute, dit-elle. J'essaie de comprendre ce que vous venez de dire.

— Vous ne vous y attendiez pas ? insinua Jude avec plus de cynisme qu'il ne l'aurait voulu. Lester n'a jamais fait la moindre allusion à… ?

— Ecoutez, je n'y comprends plus rien. Je viens de vivre une expérience des plus traumatisantes avec l'horrible Ralph, et il faudrait maintenant que j'écoute vos sarcasmes !

— Je vous annonce que Lester Rogan vous a laissé la plus grande partie de sa fortune, vous appelez ça des sarcasmes ?

— Je ne vous crois pas.

— Voulez-vous que je vous lise le testament ?

Manifestement choquée, elle demeura muette.

— Y aurait-il une possibilité pour que vous soyez sa fille naturelle ? reprit Jude.

— Ne racontez pas de stupidités ! Vous pensez que je pourrais avoir un lien de parenté avec le malotru qui s'est introduit ici ?

— Vous avez vu Ralph dans un mauvais jour. En général, il n'a aucun mal à séduire les femmes. Il était ivre. Remarquez, il avait des excuses : il venait d'apprendre que la majorité de la fortune de son père allait à une étrangère.

Cate posa une main tremblante contre son front.

— C'est une erreur terrible, murmura-t-elle.

— Les Rogan partagent cet avis. D'ailleurs, la famille va essayer de prouver que Lester se trouvait en état de démence lorsqu'il a établi ce testament.

— Effectivement, il ne jouissait probablement pas de toutes ses facultés mentales.

— Ou, au contraire, il devait avoir une excellente raison pour faire de vous son héritière principale. Vous teniez forcément une place importante dans sa vie.

— Le problème, c'est qu'il a oublié de me dire laquelle. Je vous le répète, il n'y avait rien entre nous. Sinon le plaisir partagé de nos rencontres.

Elle fixa Jude.

— Il n'est tout de même pas allé jusqu'à déshériter sa famille ? s'enquit-elle.

— Puisque vous me posez la question, je vais y répondre : Mme Rogan, sa fille Melinda et son fils Ralph ont tous reçu un legs considérable qui leur permettra de vivre à l'aise jusqu'à la fin de leurs jours s'ils suivent les conseils qu'on leur donne.

— C'est-à-dire les vôtres ? persifla la jeune femme. A propos, votre nom figure-t-il aussi sur le testament ? Cela arrive assez fréquemment que les avocats bénéficient de la générosité de leurs clients. Parfois, d'ailleurs, la famille tente une action en justice pour réparer...

Jude l'interrompit.

— Là, c'est à vous que cela pourrait arriver.

Elle secoua de nouveau sa chevelure cuivrée.

— Je ne veux pas de cet argent.

— Vous pourriez le distribuer à des associations caritatives, à vos amis, à des enfants abandonnés, à...

— Gardez vos sarcasmes pour vous !

Elle se mordilla les lèvres, puis chercha son regard avant de poursuivre :

— C'est une histoire complètement folle.

— Vous avez raison.

Jude fronça les sourcils.

— Tellement folle, ajouta-t-il, que je n'ai pas envie de vous laisser seule ici, ce soir.

Cate jeta un regard à travers la porte vitrée.

— Vous pensez que Godzilla pourrait revenir ?

Bien qu'elle affichât un air désinvolte, Jude décela une crainte dans ses yeux.

— Ralph a subi une grave déception aujourd'hui, dit-il. Il espérait vraiment se retrouver à la tête de la fortune paternelle. Je le pensais aussi, je l'avoue. Et la ville entière s'attendait à cela. Chacun, ici, voudra connaître la raison pour laquelle c'est vous que Lester Rogan a favorisée. Ce qui ne vous rendra pas la vie facile. Mais pour l'instant, c'est de Ralph que je me méfie : un homme frustré est capable de tout. Et il n'y a même pas de verrou de sécurité à votre porte.

Le souvenir du cauchemar qu'elle venait de vivre fit frissonner la jeune femme. Cependant, elle parvint à fanfaronner :

— Personne n'a jamais tenté de me nuire jusqu'à aujourd'hui. Pourquoi chercherait-on à me faire du mal, à présent ? Je n'ai pas peur.

— Pourtant, vous aviez tenu à cacher vos cheveux pour essayer de passer inaperçue aux obsèques. Cette attitude en dit long. Ecoutez, mademoiselle Costello, il serait grand temps que vous vous décidiez à parler. Vous n'avez rien à craindre, tout ce que vous direz restera confidentiel.

— Il n'y a rien à dire, rétorqua-t-elle sèchement. Je n'ai pas à rougir des relations que j'entretenais avec M. Rogan. Elles étaient parfaitement respectables. Et ce n'était pas mon père, au cas où vous persisteriez dans cette voie.

Jude soupira intérieurement. Elle ne lui rendait pas les choses faciles.

— Est-ce que cela vous ennuierait de me parler de vos parents ?

— Justement, cela m'ennuie.

Après une hésitation à peine perceptible, elle poursuivit :

— Si j'avais eu un lien de parenté quelconque avec Lester Rogan, j'aurais été au courant. J'ai besoin de réfléchir à tout cela. Quoi que vous en pensiez, c'est vraiment un grand choc pour moi.

La tension qui l'habitait se lisait sur son visage, dans l'attitude de son corps, dans ses beaux yeux.

Jude se leva, surpris par la faculté que cette femme avait d'éveiller en lui les émotions les plus profondes.

— Il faudra que nous examinions le testament ensemble, déclara-t-il. Demain, je déjeune en ville avec un vieil ami de mon père, sinon je suis libre. Mais cela me contrarie de vous laisser seule d'ici là. J'ai une maison à Spirit Cove, la propriété de mes parents. Il y a beaucoup de place, vous pourriez y passer la nuit, ainsi vous vous sentiriez en sécurité.

Elle mourait de peur, et la proposition la tentait certainement. Cependant, elle fanfaronna :

— Ne vous inquiétez pas. Je vais dormir comme un bébé.

— J'en doute fort.

Il considéra la jeune femme de haut en bas.

— En tout cas, moi, je ne fermerai pas l'œil de la nuit en vous sachant seule ici. Qui peut affirmer que Ralph ne reviendra pas ? Mettez quelques affaires dans un sac et je vous emmène.

Le visage de Cate se crispa.

— Je préfère rester ici, dit-elle en se levant.

— Non ! se récria-t-il d'une voix ferme. J'ai été témoin de la manière dont ce sauvage vous a traitée. Vous avez subi une frayeur terrible et vous avez encore peur, je le vois dans vos yeux. C'est un miracle que je sois arrivé à temps. Ecoutez, je ne veux pas ajouter à votre inquiétude, mais Ralph est peut-être tapi quelque part dans un coin, à attendre que je sois parti.

Il avait raison, Cate le savait. Pourtant, elle essaya une fois encore de discuter.

— Et qu'est-ce qui l'empêchera de revenir une autre nuit ? Et même en plein jour ?

Il la dévisagea. Tout en elle le fascinait, agressait ses sens. Aucun homme ne résisterait à la beauté de Cate Costello. Comment Rogan aurait-il pu y rester insensible ? Cette pensée recommença à le torturer.

— Je retournerai voir Ralph quand il ne sera plus sous l'emprise de la boisson, annonça-t-il. Je peux lui faire entendre raison jusqu'à ce que nous ayons tiré cette affaire au clair. Maintenant, allez vous préparer.

4.

Tandis que Cate empaquetait quelques affaires, il fit le tour de la maison afin de s'assurer que fenêtres et portes étaient bien fermées.

Certes, Isis était un endroit calme, épargné par la délinquance, mais une belle jeune femme vivant seule pouvait attirer des rôdeurs ou des hommes mal intentionnés. Elle ne lui avait rien dit de sa relation avec Tony Mandel, ni expliqué la raison pour laquelle elle avait choisi de s'installer dans une petite bourgade de la côte. La plupart des jeunes gens de la région s'en allaient vers les grandes villes, en quête de travail et de plaisirs. Lui-même n'avait-il pas suivi cette voie ? Et, jusque-là, il n'avait eu qu'à s'en féliciter.

Il exerçait un métier qu'il aimait, dans un cabinet d'avocats prestigieux, bénéficiait de revenus confortables. En somme, il avait tout pour être heureux. Pourtant, il ne se trouvait pas totalement satisfait de son sort. Pour commencer, il y avait Poppy Gooding qui lui posait un sérieux problème. A cause d'elle, il risquait de perdre son emploi. Ensuite, il y avait cette histoire inextricable à résoudre alors qu'il n'avait jamais eu autant besoin de prendre des vacances.

— Je suis prête.

Cate Costello venait de reparaître dans la salle de séjour, chargée d'un nécessaire de voyage. Elle avait changé son short blanc contre une jupe longue imprimée de grandes fleurs d'hibiscus, et chaussé de jolies sandales bleues.

Il éprouva le désir fou de la prendre dans ses bras, mais se contenta de se saisir de son mince bagage.

— Allons-y, décida-t-il.

Ils sortirent. Aucun coupé rouge en vue.

— Cette brute de Ralph n'est pas revenu, constata Jude en mettant sa voiture en marche. Du moins pour l'instant.

La proximité de la jeune femme assise près de lui dans l'habitacle le troublait infiniment. Il tourna la tête vers elle. Dans la faible lumière émanant du tableau de bord, le fin profil de sa passagère se découpait, net comme un camée, et sa peau apparaissait encore plus pâle.

Quel mystère cachait ce visage ? Les questions se bousculaient dans la tête de Jude. Il se risqua à en poser une.

— Dites-moi, mademoiselle Costello, comment avez-vous rencontré Tony ?

— C'est une longue histoire, répondit-elle. Trop longue pour que je vous la raconte ce soir.

— D'accord. Mais je m'étonne que Tony ne m'ait jamais parlé de vous alors que nous nous connaissons de longue date.

— C'est un ami, un homme très bon.

— Sur ce point, je partage votre avis.

— Il a fait un portrait de moi.

— Le contraire m'aurait étonné. Tony aime peindre tout ce qui est beau. De belles femmes, de belles fleurs, de beaux oiseaux, de beaux couchers de soleil tropicaux. Et où se trouve ce portrait ?

— A la galerie.

— En exposition ?

— Non. Dans ma chambre.

— J'aimerais le voir.

Il n'y avait aucun sous-entendu dans la voix de Jude lorsqu'il prononça ces mots.

— Quand vous voudrez, promit la jeune femme.

— Quand l'a-t-il peint ? Avant qu'il ne s'exile à l'étranger ?

— Bien avant son départ : j'avais douze ou treize ans.

En évoquant la petite fille qui avait posé pour Tony, Jude sentit une bouffée d'émotion l'envahir. A l'époque, avait-elle la peau aussi pâle qu'aujourd'hui et ses cheveux blond vénitien possédaient-ils déjà ces reflets cuivrés ?

— Donc, vous connaissez Tony depuis des années, constata-t-il. Quel âge avez-vous, maintenant ?

— Bientôt vingt-trois ans. Croyez-vous au destin, Jude ?

Son nom dans la bouche de la jeune femme avait un goût de miel.

— Oui, répondit-il.

— Ma mère comptait Tony parmi ses amis. Il s'est révélé un ami délicieux pour moi.

Il lança un regard bref à sa compagne.

— Vous parlez de votre mère au passé ?

Elle demeura silencieuse un moment avant de murmurer d'une voix à peine audible :

— Ma mère a… disparu. On ne l'a jamais retrouvée.

— Je suis désolé, Cate. Cela a dû être terrible pour vous.

— Plus que terrible. Une véritable torture.

— Je l'imagine facilement, dit-il.

N'avait-il pas éprouvé la même souffrance quand sa propre mère était partie ?

— Elle s'appelait Costello aussi ? s'enquit-il.

Ce qu'il venait d'entendre de la bouche de Cate lui rappelait vaguement une histoire qui avait fait beaucoup de bruit en son temps.

— Non. Elle s'était remariée après la mort de mon père. Papa avait été tué dans un accident de la route. J'avais dix ans alors. Je l'adorais. Il aimait tellement la vie.

— Comment avez-vous réussi à surmonter tout ce chagrin ?

Jude regretta que la lumière trop faible ne lui permît pas de voir l'expression de sa passagère. Comme lui, elle avait traversé de grandes épreuves, connu la tragédie. Cette similitude entre leurs destins le frappait.

Elle tourna la tête vers la vitre de la portière, regarda les étoiles qui scintillaient dans le ciel au-dessus de l'océan, myriades de pâquerettes de diamants.

— Nous avons tous les deux perdu notre mère, finit-elle par dire. Mais il y a de grandes chances pour que la vôtre soit encore en vie. Tandis que celles de retrouver la mienne sont minimes. N'avez-vous jamais eu envie de la revoir, Jude ?

Il hésita quelques secondes puis répondit d'une voix trop rauque :

— Il n'y a plus de place pour elle dans mon cœur ni dans ma vie.

— Moi, je donnerais tout au monde pour savoir si ma mère est vivante. Pour pouvoir l'embrasser encore une fois.

L'émotion presque palpable de la jeune femme le toucha plus qu'il ne voulait se l'avouer.

— Et elle a disparu comme ça ? demanda-t-il brusquement. Du jour au lendemain ? Je suppose qu'il y a eu des recherches ?

— A travers tout le pays. Ma mère était mariée à un homme très influent : Carl Lundberg.

— Lundberg, Lundberg, répéta Jude, cherchant à se rappeler ce que ce nom évoquait en lui.

Et, soudain, la mémoire lui revint.

— Lundberg ! Je m'en souviens maintenant.

Le professeur Lundberg était un éminent universitaire doté d'une fortune personnelle considérable, hautement respecté dans le monde enseignant. Les faits remontaient à environ six ou sept ans. Mme Lundberg — beaucoup plus jeune que son mari — avait été aperçue pour la dernière fois avec son chien, un colley, dans la réserve forestière nationale jouxtant la propriété familiale. Personne ne les avait jamais revus.

— On aurait dit que ma mère et notre chien, Blaze, s'étaient volatilisés de la surface de la terre, dit Cate.

Elle paraissait si désespérée, si triste, que Jude lui prit la main pour la réconforter.

— Je suis désolé, Cate, murmura-t-il. C'est une horrible tragédie.

Après un silence, il poursuivit :

— C'était un cas très déconcertant, je me rappelle. Le dossier n'a pas dû être refermé. La police n'abandonne jamais.

Elle acquiesça d'un hochement de tête.

— Ils ont été très bons avec moi. Mais parfois, c'est impossible de trouver suffisamment de preuves. Je crois qu'il l'a tuée.

Le cœur de Jude chavira. Pendant quelques secondes, il n'osa prononcer un mot.

Finalement, s'efforçant de conserver son calme, il demanda :

— Qu'est-ce qui vous fait croire cela ? L'enquête a dû être menée sérieusement. Dans ces sortes de drames, on suspecte toujours le mari en premier. Quel âge aviez-vous ? Seize ans ?

— Il l'a tuée, répéta la jeune femme. Dieu seul sait pourquoi je vous dis cela. Vous êtes la première personne à qui j'en parle après toutes ces années. Il avait un alibi : il a prétendu être resté à l'université toute la journée. Le personnel et les étudiants l'avaient vu entrer, sortir, revenir, mais ce n'était pas suffisant pour l'arrêter. Pourquoi aurait-on suspecté un homme aussi distingué ? Il avait — et il a encore — des tas d'amis influents et un comité de soutien.

Une pause s'éternisa, pendant laquelle il retint son souffle, puis Cate continua :

— Il a joué la comédie du mari éploré dont la vie était brisée. Et il m'a fait endosser le rôle de la fille jalouse, paranoïaque, dont il avait espéré vainement gagner l'affection. Il a dit que je ne lui permettais pas de prendre la place de mon père. Là-dessus, il avait raison.

Cate émit un petit rire amer avant de poursuivre :

— Comme si un homme aussi fourbe que lui aurait pu remplacer papa ! Après une journée d'interrogatoire, la police n'avait rien contre lui. Je ne leur en veux pas de ne pas avoir tenu compte de mon témoignage. J'étais dans un état tellement lamentable...

— Ce que vous racontez est terrible. Je comprends le ressentiment que vous éprouvez à l'égard de votre beau-père. Mais, au cours de ces années, n'avez-vous jamais pensé que, peut-être, vous vous étiez méprise à son sujet ?

— Ce n'est pas une méprise, c'est la vérité. Je le hais. Si ma mère ne l'avait pas rencontré, elle serait encore en vie.

Ils approchaient de la maison. L'un et l'autre se taisaient à présent, chacun absorbé par ses propres réflexions. Jude était totalement assommé par ce qu'il avait appris. Jamais il n'avait envisagé que les événements prendraient cette tournure dramatique. Loin de s'éclaircir, le mystère autour de Cate Costello s'épaississait.

La voiture s'immobilisa devant la porte.

Jude invita la jeune femme à entrer. Elle s'arrêta un instant dans le hall, regarda autour d'elle.

— Quelle charmante maison ! dit-elle doucement. Je suis passée souvent devant, et chaque fois je l'ai admirée. Le dimanche après-midi, j'aime prendre ma voiture et rouler au bord de la mer, découvrir les propriétés. Je préfère de beaucoup celle-ci au manoir des Rogan.

Jude la conduisit dans la salle de séjour où l'une des toiles de Tony Mandel était suspendue au-dessus de la cheminée. Elle représentait des oiseaux tropicaux blancs à la queue et au bec noirs rassemblés près d'un lagon bleu turquoise.

— Vous avez trouvé la place idéale pour ce tableau, remarqua Cate. Le fond clair du mur le met vraiment en valeur.

— Il y en a d'autres dispersés dans la maison.

Malgré lui, Jude ajouta :

— Il a peint ma mère aussi. Tony ne savait pas résister à une belle femme.

Son invitée se tourna vers lui, sa tête rousse légèrement inclinée sur le côté.

— Ce portrait, vous l'avez toujours, ou bien est-ce que votre mère... ? commença-t-elle.

Il l'interrompit.

— L'a emporté avec elle ? Pensez-vous ! Elle est partie avec les vêtements qu'elle avait sur le dos et n'est jamais revenue. Le type qu'elle a suivi, un riche Américain, avait de quoi lui offrir tout ce dont elle avait besoin.

— Cela a dû être dur pour votre père et pour vous. Où se trouve le portrait, aujourd'hui ?

— Au premier étage. Papa l'avait retiré, mais il l'a vite remis en place. A mon avis, il n'a jamais cessé d'aimer ma mère. Vous voulez le voir ?

— Si cela ne vous contrarie pas...

— Venez. Je vais monter votre sac. Les chambres sont au premier. Cela ne prendra que quelques minutes de faire le lit dans une des chambres d'amis. Un vieux copain de mon père entretient la maison et le jardin.

— Jimmy Dawson, n'est-ce pas ? demanda Cate en souriant.

— Vous connaissez Jimmy ?

— Qui ne connaît pas Jimmy, ici ? Il s'arrête souvent à la galerie pour raconter des histoires ou m'apporter quelque chose. Il était chercheur d'or autrefois, il a voyagé partout. Il a ramené des opales, des saphirs, des grenats, des rubis, des topazes... Il a une collection d'agates aussi, de chrysoprases. C'est une pierre translucide vert pomme, il dit que sa couleur lui rappelle celle de mes yeux.

— Jimmy est un bourreau des cœurs.

— Tous les hommes ne le sont-ils pas plus ou moins ? rétorqua la jeune femme d'un ton enjoué.

Mais à la seconde suivante, une ombre de tristesse assombrit de nouveau son visage.

— Allons, venez, répéta Jude, la guidant vers l'escalier.

Dès qu'ils atteignirent le palier, Cate vit le portrait accroché à l'extrémité du large couloir sur lequel donnaient les chambres et, fascinée, elle avança jusqu'à lui.

Il représentait une femme dans la fleur de l'âge, extrêmement séduisante. Sa ressemblance avec Jude frappait dès le premier regard — la chevelure dorée, bouclée, les yeux d'un bleu rare dotés d'un pouvoir magnétique stupéfiant, le sourire qui creusait la joue d'une fossette irrésistible... Non seulement Sally Conroy était d'une beauté à couper le souffle, mais il émanait d'elle une aura de sensualité que Tony avait su capter. Sans doute avait-il été un peu amoureux de son modèle, songea Cate en admirant la ligne des épaules, la peau laiteuse que le chemisier rose au décolleté largement échancré dévoilait.

— Maintenant, vous connaissez ma mère, dit Jude qui l'avait rejointe.

— Vous lui ressemblez d'une manière extraordinaire, fit-elle remarquer.

D'un ton sec, il répliqua :

— En apparence, peut-être. Venez, je vais vous montrer votre chambre. Si elle ne vous plaît pas, il y a en a d'autres, mais à mon avis celle-ci est la plus agréable.

Elle le suivit jusqu'à une pièce spacieuse, dont Jimmy avait refermé les volets quand il était venu aérer la maison.

— Elle a une belle vue sur la plage, expliqua Jude. Mais nous pouvons aussi voir la mer depuis la terrasse. Venez, je vais vous montrer.

Il sortit. Elle lui emboîta le pas.

Ils respirèrent avec bonheur l'air frais marin.

— C'est le paradis sous les tropiques, murmura-t-elle. Je comprends pourquoi Tony y a passé de si longues années à peindre.

— Qu'est-il exactement pour vous ? demanda Jude, appuyé à la balustrade blanche.

Une onde de tristesse la submergea.

— Tony aimait ma mère. Il aurait voulu l'épouser, mais mon père est arrivé et a brisé son rêve. Tony était destiné à devenir un peintre célèbre. Mon père était destiné à mourir. Mon beau-père...

Elle s'interrompit, changea abruptement de sujet.

— L'air est si doux... Comme de la soie. Oh, regardez !

Elle désigna un point sur la plage, éleva la voix :

— Il y a quelqu'un, là-bas.

Jude scruta la semi-obscurité.

— Je ne vois rien.

— Mais si, regardez. Là ! Une femme. Avec sa longue jupe qui flotte dans la brise.

— Il n'y a personne, Cate, affirma Jude d'un ton catégorique. C'est parce que vous avez entendu cette histoire.

Elle se tourna vers lui avec étonnement.

— Quelle histoire ?

— Celle que l'on raconte sur le prétendu fantôme qui hante Spirit Cove.

— Je ne vous parle pas d'un fantôme. C'est une femme en chair et en os. Elle marche sur la plage. Je l'ai vue. Vous ne me croyez pas ?

— Non.

— Je veux en avoir le cœur net. Elle n'a pas pu aller très loin. Venez. Ne restez pas là à me regarder comme si je délirais.

Déjà, Cate tournoyait sur elle-même, ses cheveux de soie abricot voltigeant autour de sa tête. Jude la vit s'engouffrer dans le couloir, se ruer dans l'escalier, se diriger instinctivement vers la porte arrière.

— Cate ! appela-t-il. Je ne crois pas à ces sornettes.

Elle courait vers le sentier qui menait à la plage lorsqu'il sortit de la maison.

— Cate ! Cate ! Attendez-moi.

Il cria en vain. Bientôt, les ténèbres avalèrent la frêle silhouette de la jeune femme. L'espace de quelques instants, il éprouva un sentiment de pure panique.

— Cate ! Revenez ! Où êtes-vous ? Je n'y vois rien.

C'était une nuit sans lune. Seules des myriades d'étoiles peuplaient le ciel sombre.

Jude franchit les dunes, regarda autour de lui. Bon sang, quelle direction avait-elle prise ? Il marcha vers le rivage, rongé par l'angoisse. Et, tout à coup, elle arriva sur lui, si vite qu'elle faillit lui tomber dans les bras.

— Je vous dis qu'elle était là, affirma-t-elle, hors d'haleine. Ce n'était pas un effet de mon imagination, j'en suis sûre.

Afin de l'aider à retrouver son équilibre, il la retint par les épaules. Il n'aurait pas dû. Sa peau avait la texture la plus douce, la plus soyeuse qu'il eût jamais touchée.

— Allons, calmez-vous, recommanda-t-il. Il n'y avait rien. Je vous ramène à la maison.

Les yeux verts le fixèrent.

— Jude, je l'ai vue distinctement. C'est pourquoi je l'ai suivie. Elle portait une longue robe blanche.

— Même en courant plus vite, vous ne l'auriez jamais rattrapée, dit-il en lui faisant rebrousser chemin.

Le désir qu'il avait de la posséder montait dans son corps, ardent, impératif. Mais tout rentrerait dans l'ordre dès qu'ils auraient regagné la maison, songea-t-il. La nuit avait ses sortilèges que la lumière dissipait. Cette pensée le rassura.

— J'ai vu sa longue jupe qui flottait dans le vent, insista Cate, tandis qu'ils s'éloignaient de la plage. Je vous dis que je l'ai vue.

— Vos yeux vous ont joué un tour, déclara Jude.

Il se garda de lui révéler que sa propre mère avait prétendu avoir vu la même apparition juste quelque temps avant son départ. Le fantôme — il s'en souvenait, à présent — était sensé apparaître aux gens qui se trouvaient à la croisée des chemins. Bon Dieu, ils étaient en pleine fantasmagorie !

— C'était une femme, pas un fantôme, répliqua pensivement sa compagne. Elle a dû traverser les dunes pour se rendre dans l'une des maisons.

Il hocha la tête.

— Notre maison est isolée. Mes voisins les plus proches se trouvent très loin de chez moi. Vous avez cru voir quelqu'un, mais il n'y avait personne, Cate.

Il n'avait aucune envie de se lancer dans une discussion sur les phénomènes paranormaux.

Elle finit par rendre les armes.

— Admettons. Je vois que je n'ai aucune chance de vous convaincre.

Sur ces mots, elle échappa à son emprise et fila en direction de la maison.

— Je suis de plus en plus certain que vous êtes un peu magicienne, cria-t-il, s'essoufflant derrière elle.

Sans répondre, Cate poursuivit sa course. Elle avait presque atteint le portail lorsqu'elle trébucha.

En quelques pas, il franchit l'espace qui les séparait et lui tendit une main qu'elle saisit.

— Aidez-moi à me redresser ! dit-elle en riant.

Il avait pour seule intention de la remettre sur pieds. Pourtant, à peine fût-elle debout qu'il la serra contre lui.

Et voilà qu'il l'embrassait encore et encore.

Les lèvres entrouvertes sous les siennes, chaudes, palpitantes, semblaient appeler sans cesse d'autres baisers. Il n'avait qu'un geste à faire pour emprisonner entre ses mains les seins dont il devinait les contours exquis et fermes. Un geste qu'il mourait d'envie d'exécuter.

— J'ai envie de vous ! chuchota-t-il contre sa bouche.

Quelques secondes de plus et il perdrait le contrôle de lui-même.

Les choses allaient trop vite. Il ne comprenait pas ce qui arrivait. Il savait seulement qu'il ne voulait pas la libérer de son étreinte.

— Jude, je vous en prie, suppliait-elle.

Pourtant, elle s'agrippait à lui désespérément. Comment cela allait-il se terminer ? Leurs langues exécutaient un ballet lascif, leurs corps se pressaient l'un contre l'autre. Il respira avec volupté le parfum des gardénias qui imprégnait la peau de la jeune femme, son visage, ses vêtements. Jamais il n'avait éprouvé une émotion aussi forte — démesurée — pendant un baiser.

Alors que l'image de Cate nue dans ses bras s'imposait à son esprit, celle-ci s'écarta d'un coup, comme si elle s'était rappelée qu'elle devait se méfier de lui. Tous deux haletaient, tels des athlètes au terme d'une course épuisante.

— Je suis désolé.

Pendant quelques secondes, il ne trouva rien d'autre à dire. Puis il parvint à ajouter :

— Je n'avais pas le droit de me conduire ainsi. Considérez cela comme un moment d'égarement.

Comment réussit-il à prononcer ces mots avec calme alors qu'il brûlait de l'étreindre de nouveau, de lui faire l'amour, d'arracher des cris de plaisir de sa bouche ! Il voulait aussi lui parler des souffrances qu'il avait endurées, des trahisons qu'il avait subies et, surtout, de son enfance blessée. Qui mieux que cette femme, elle-même écorchée par la vie, serait en mesure de le comprendre ?

— N'en parlons plus, répondit-elle dans un chuchotement. Nous sommes tous les deux un peu déboussolés

Déboussolés, oui. Mais il aurait cédé toute sa fortune pour qu'ils restent dans cet état jusqu'à la fin de leurs jours. C'était la première fois qu'il tremblait ainsi sous les baisers d'une femme.

En fait, il avait eu envie d'embrasser Cate Costello dès qu'il avait posé les yeux sur elle, dans l'église. Alors qu'il ignorait jusqu'à son identité. Et, en cet instant encore, que savait-il d'elle ? Bien peu de choses ! Pouvait-on tomber amoureux d'une quasi-inconnue ?

Ils n'échangèrent plus un mot pendant le reste du trajet.

Ce fut Jude qui brisa le silence quand ils furent rentrés. Avec surprise, il prit conscience qu'il mourait de faim.

— Je vais sortir les draps pour votre lit. Je n'ai pas fait un vrai repas, aujourd'hui. Et vous ?

— J'allais préparer quelque chose pour le dîner quand l'horrible Ralph est arrivé, répondit-elle. Vous avez de quoi manger ?

Il haussa les épaules.

— J'ai des œufs, du pain. Il y a un reste de poulet rôti dans le réfrigérateur, du lard maigre aussi. Des fines herbes qui viennent du jardin. Du thé, du café, un paquet de biscuits. Jimmy a laissé quelques provisions, mais il faut que je réalimente les réserves.

— Je vais préparer une omelette, déclara la jeune femme. Vous avez une bonne poêle ? C'est vital pour les réussir.

— Je suis sûre que vous la trouverez, répondit-il en montant l'escalier.

Lorsqu'il revint, Cate avait mis le couvert sur la table de verre, dans la salle de séjour.

— L'omelette est prête, annonça-t-elle, les joues roses d'excitation.

— J'en déduis que vous avez déniché la poêle. Et le vin aussi, je vois.

— Il y a tout ce qu'il faut dans cette maison.

Jude saisit la bouteille posée au centre de la table, la déboucha. Après avoir empli leurs deux verres, il leva le sien.

— A votre santé, dit-il.

— A la vôtre ! répondit Cate, souriante. Ne restez pas debout.

Il s'assit en face d'elle et dégusta une gorgée de la boisson délicieusement fraîche.

Elle lui tendit le plat où fumait une omelette dorée, gonflée à souhait.

— Comme il n'y avait pas de parmesan, j'ai râpé votre cheddar. J'ai utilisé presque toutes les fines herbes et six de vos œufs.

— Ne vous inquiétez pas, je vais faire les courses demain. Cette omelette me paraît excellente.

— Servez-vous avant qu'elle ne refroidisse.

— Vous en prenez aussi, j'espère.

— Bien sûr !

Cate se servit à son tour. Ils commencèrent à manger en silence, puis il demanda tout à trac :

— Avez-vous un petit ami ?

Aussitôt, il se sermonna. Pourquoi avait-il posé une question d'ordre aussi intime ? Pourquoi ? Parce qu'il avait besoin désespérément de le savoir, voilà tout.

Comme elle hochait la tête, il s'excusa :

— Je n'ai aucune idée de la raison qui m'a poussé à vous demander cela.

— D'autant plus que vous vous êtes mis dans la tête que Lester Rogan était mon protecteur.

— Non, c'est une chose que je n'arrive pas à croire.

— Ou que vous refusez de croire ?

Ils échangèrent un long regard.

— Effectivement, admit-il. Par ailleurs, vous avez une personnalité trop forte pour endosser ce rôle. Et la vie vous a blessée.

— Vous parlez en connaissance de cause, n'est-ce pas, Jude ?

Ils finirent de manger en échangeant des propos anodins. Après le café, d'un accord tacite, ils retournèrent sur la grande terrasse.

— Quelle drôle de soirée, murmura Cate en s'accoudant à la balustrade. J'ai vu un fantôme. Quoi que vous en pensiez, je l'ai réellement vu.

Jude rit.

— Vous essayez de me faire peur ? demanda-t-il.

— Les fantômes n'ont rien d'effrayant.

— Le problème, c'est que je ne crois pas en leur existence. Même en m'y efforçant, je n'y arrive pas.

La jeune femme le considéra attentivement, ses yeux verts emplis de tendresse.

— Ce n'est pas vrai, Jude. Je suis sûre que vous sentez la présence de votre père dans la maison. Ne pensez-vous pas à lui quand le parquet craque sous vos pas ?

Il ne songea même pas à dénier ce qu'elle avançait.

— Comment le savez-vous ?

— Peut-être ai-je une bonne perception extra-sensorielle ? Peut-être le fait d'avoir perdu ma mère si brutalement et d'une manière si violente a-t-il exacerbé ma sensibilité ?

— Vous êtes certaine qu'il y a eu violence ?

— Oui. J'en suis sûre. Je prie seulement pour qu'elle n'ait pas trop souffert, dit Cate en focalisant son regard sur le jardin enfoui dans l'ombre.

Jude lui prit la main.

— Votre beau-père était-il un homme violent ? s'enquit-il.

— En apparence, non. C'est ce qui rend les choses irréelles : il n'a jamais levé le petit doigt sur elle. Mais elle en était arrivée à avoir peur de lui.

Un sentiment étrange envahit Jude.

— A vous entendre, on a l'impression qu'il vous faisait peur aussi, constata-t-il. Etait-il autoritaire ?

Et il vit le corps de sa compagne se raidir.

— Un vrai tyran, accusa-t-elle. Maman n'osait même pas sortir sans sa permission.

— Je comprends pourquoi vous ne supportiez pas de vivre sous le même toit que lui.

Cate se mordilla les lèvres.

— Je voudrais ne plus jamais porter les yeux sur lui, avoua-t-elle, mais je sais que, d'une manière ou d'une autre, je serai amenée à le revoir.

— Etes-vous sûre que votre mère n'envisageait pas de refaire sa vie avec quelqu'un d'autre ? Mon père avait confiance en ma mère. Moi aussi. Voyez où cela nous a conduits.

— Je suis désolée. Mais maman ne serait jamais partie sans moi.

La jeune femme repoussa en arrière les mèches qui tombaient sur sa joue.

— J'avais seize ans, poursuivit-elle. J'étais encore au lycée. Elle m'aimait et je l'aimais. Depuis sa disparition, elle n'a jamais utilisé sa carte de crédit ni prélevé de l'argent sur son compte en banque ; en mars, l'année prochaine, on la déclarera légalement morte.

Des larmes dans la voix, elle ajouta :

— Tout le monde l'adorait. C'était une hôtesse merveilleuse, et elle était tellement jolie.

— Si vous lui ressemblez, je veux bien le croire.

— Non, je n'ai rien d'elle. Je tiens des Costello. Du moins, c'est ce que mon père me disait.

— Vous ne connaissez pas la famille de votre père ? s'étonna Jude. Vous n'avez jamais eu de contact avec eux ?

Cate hocha la tête.

— Non. Je pense qu'il y avait eu des querelles dans la famille. Par ailleurs, ils sont loin. En Irlande, sur la côte ouest, je crois. Mon père est venu en Australie de sa propre volonté, cela, je le sais. Il venait de terminer ses études d'architecte. Il a d'abord travaillé pour une entreprise à Sydney. Ensuite, il est devenu maître de conférences à l'université. C'est là que mes parents ont fait la connaissance de Lundberg. Ce jour a dû être le pire de leur vie.

Jude fixa la jeune femme d'un regard intense.

— Après la disparition de votre mère, avez-vous continué de vivre avec votre beau-père ? demanda-t-il.

— Non. Même pendant les vacances, je n'allais pas chez lui. Maman avait une amie très proche, Deborah. Elle n'avait jamais apprécié mon beau-père. Je ne sais pas comment elle s'y est prise, mais elle a réussi à le persuader de me mettre en pension jusqu'à la fin de mes études. Dès que j'ai quitté le lycée, j'ai pris le large.

— Le large ? Que voulez-vous dire ?

A son tour, Cate le fixa, un étrange petit sourire aux lèvres.

— Vous n'imaginez tout de même pas que j'allais rester là-bas sous la protection de Deborah ? répondit-elle.

— Vous avez encore peur de cet homme, n'est-ce pas ?

— A vrai dire, je m'attends à ce qu'il surgisse de nouveau dans ma vie un jour ou l'autre.

Jude prit la main de la jeune femme, lui pressa les doigts.

— Si vous avez vraiment peur de lui, Cate, pourquoi n'intentez-vous pas une action légale pour… ?

— Ça ne marchera pas. Le mieux est de me cacher.

— C'est pourquoi vous êtes ici, je suppose ?

— Tony et moi nous sommes arrangés. Il savait ce qui était arrivé à maman, il en a été bouleversé, mais je ne lui ai jamais parlé de ce que je soupçonnais. Lundberg était quelqu'un d'intouchable. Tout le monde l'admirait. Et il versait beaucoup d'argent à l'université.

La situation apparaissait maintenant plus clairement à Jude.

— Et où étiez-vous avant de venir ici ? s'enquit-il.

Elle eut un petit rire triste.

— J'ai vécu en nomade, j'ai fait des petits boulots. Je ne suis jamais restée au même endroit très longtemps. Je me suis installée ici parce que je me sentais en sécurité. Du moins jusqu'à ce que Ralph Rogan ne fasse irruption chez moi. Et puis vous êtes arrivé à votre tour avec cette histoire stupéfiante de testament…

— Dont nous n'avons pas encore vraiment parlé.

— Pas ce soir, je vous en prie. Je ne pourrais pas.

— D'accord. Mais dites-moi, comment vous est venue l'idée d'ouvrir ce commerce de cristaux ?

— C'est grâce à un couple d'amis, je vous l'ai déjà dit. Je les ai rencontrés au cours de mes pérégrinations. Ils se sont montrés très bons à mon égard.

Un silence se fit. Cate leva les yeux vers les étoiles.

— Je pense que je vais aller me coucher, reprit-elle, si cela ne vous dérange pas. A vrai dire, je me sens bizarre. A la fois exténuée et surexcitée par tout ce qui m'arrive. En fait, je n'y comprends rien.

— Moi non plus, avoua Jude.

La lumière jetait des reflets dorés dans les boucles soyeuses de la jeune femme. Des boucles dont il avait senti la douceur sous ses doigts tout à l'heure, songea-t-il avec émotion. Au souvenir du baiser qu'ils avaient échangé, son cœur s'accéléra.

— Nous discuterons du testament demain, poursuivit-il hâtivement.

— Je ne veux pas de cet héritage, Jude. Pourquoi l'accepterais-je ? Lester Rogan n'a jamais été pour moi qu'un propriétaire, je vous le jure.

— Il n'empêche que ce qu'il vous laisse représente une fortune considérable.

Cate resta un instant interdite, puis elle secoua la tête.

— La seule chose qui m'intéresserait, ce serait de retrouver ma mère, Jude, déclara-t-elle d'une voix triste.

Sur ces mots, elle tourna les talons.

Il la regarda s'éloigner, le cœur étreint par une inquiétude sourde. Que leur réservaient les jours à venir ?

5.

La maison baignait dans un silence profond quand Jude s'éveilla. La pendule indiquait 8 h 30. Il n'était pas dans ses habitudes de dormir si tard, mais le sommeil l'avait boudé jusqu'à l'aube. Comment aurait-il pu en être autrement alors qu'il savait Cate à quelques mètres de lui et que le souvenir de leurs baisers passionnés tourmentait sa chair en feu ?

Un bruit de voix lui parvint du rez-de-chaussée.

Vite, il enfila un short et un T-shirt, chaussa une paire de sandales et descendit l'escalier en trombe.

— Alors, mon garçon, c'est à cette heure-ci qu'on se lève ?

Affalé dans un fauteuil, Jimmy le considérait, l'œil malicieux, un large sourire aux lèvres.

— Bonjour, Jimmy, répondit-il.

Il aperçut Cate en train de s'affairer dans la cuisine et la salua :

— Bonjour, Cate.

— Salut, Jude, dit-elle.

— Cate est en train de nous préparer un bon petit déjeuner, expliqua le vieil homme. Je lui ai commandé des tortillas. Elle sait les faire aussi bien que les Indiens.

Il jeta un coup d'œil en direction de la jeune femme avant de poursuivre avec une moue de dégoût :

— Elle m'a raconté ce qui s'est passé hier soir.

Comme Jude fronçait les sourcils, soudain inquiet, Jimmy ajouta d'une voix pleine d'affection :

— T'inquiète pas, fiston, elle ne m'a rien dit sur vous deux. Cette brute de Ralph ! Un vrai sauvage, comme son père ! Pourtant, Dieu sait s'ils se détestaient, ces deux-là.

Cate, arriva, portant la cafetière fumante qu'elle posa sur la table.

— Vous ne savez pas encore tout, Jimmy, annonça-t-elle. Lester Rogan m'a laissé un tas d'argent, c'est ce qui a donné à Ralph une bonne raison pour me rendre visite.

Jimmy se redressa, l'air abasourdi. Son regard alla de la jeune femme à Jude.

— Qu'est-ce que c'est que cette histoire ? Tu ne vas pas me dire que ce vieux mécréant de Les s'est subitement converti et qu'il a voulu s'acheter un ticket pour le paradis ?

— Allons, Jimmy, ne rêvons pas, répliqua Jude. Le problème, c'est que Cate prétend ignorer pourquoi Lester lui a légué la majeure partie de sa fortune.

Jimmy bondit de son siège et le saisit par le bras.

— Mon garçon, dit-il en esquissant une grimace, le mot « prétend » ne convient pas. Si Catey dit qu'elle ne sait pas pourquoi Les lui a laissé tout le tremblement, elle *ne le sait pas.*

C'était tout Jimmy, ça : il ne lui manquait que l'armure du chevalier servant, songea Jude.

— C'est pourtant un terme légal, rétorqua-t-il, ne plaisantant qu'à demi.

Les doigts de Jimmy sur sa peau avaient la force d'une pince de crabe. Il finit toutefois par desserrer leur étau.

— Je reconnais bien là ce sacripant de Les ! s'exclama le vieil homme. Je jure qu'il haïssait Ralph plus que Ralph ne le haïssait. Mais tu ne vas tout de même pas me dire qu'il a laissé Myra à la rue ? Pauvre vieille ! Quelle vie elle a eue avec un mari pareil. Et Melly ? Est-ce qu'elle finira par devenir adulte, un jour ? Et Ralph, toujours à montrer les dents comme un chien enragé. Les n'a quand même pas pu les oublier, non ?

Jude lança un regard vers Cate. Elle versait le café dans les tasses et semblait concentrer toute son attention sur ses gestes. Dans ses cheveux, elle avait piqué une fleur d'hibiscus.

— Ils ont reçu de quoi vivre confortablement jusqu'à la fin de leur vie, expliqua-t-il. Mais ils ne comprennent pas pourquoi Lester ne leur a pas tout laissé.

— Ça, je ne le comprends pas non plus, grommela Jimmy en grattant son crâne dégarni. Ton père devait le savoir. Il n'en a parlé à personne ?

— Il était tenu au secret professionnel, Jimmy. Tu le sais, d'ailleurs.

— C'est vraiment stupéfiant. J'en suis abasourdi.

— Nous le sommes tous, intervint Cate d'un ton bref. En fait, je me sens menacée. C'est pourquoi je suis ici avec Jude.

— Un vrai gentleman, ce Jude ! renchérit le vieil homme. Avec lui, vous ne risquez rien.

Elle rougit et tourna les talons, puis revint avec le plat de tortillas qu'elle posa sur la table.

— Mangez tant que c'est chaud.

— Les dames en premier, dit Jimmy, grand prince.

Cate se servit, et tous deux l'imitèrent. Jimmy manifesta sa satisfaction avec des mines gourmandes.

— Mmm ! C'est rudement bon. Mon médecin dit de faire attention à la nourriture. Il paraît qu'on mange trop, mais à les écouter on ne mangerait plus rien, pas vrai ? Pour en revenir à Les, vous n'avez aucune idée, Cate, de la raison qui l'a poussé à... ?

— A me coucher sur son testament ? Non, aucune. Et, pour moi, cet héritage tient plus du désastre que du miracle, Jimmy. Vous êtes souvent venu à la galerie quand M. Rogan s'y trouvait...

— Et ce n'était pas par hasard, croyez-moi, trancha Jimmy avec une moue de dégoût. Je n'allais pas vous laisser seule avec ce vieux débauché.

La jeune femme se tourna vers Jude, le regardant droit dans les yeux.

— Je n'ai jamais vu Lester Rogan sous cet angle, je vous le jure, affirma-t-elle. Il ne se comportait pas comme un Casanova.

Jimmy étouffa un rire de mépris.

— Il aurait pu lui donner des leçons, à Casanova, oui !

— Je vous en prie, Jimmy, se défendit Cate, vous ne m'avez pas bien écoutée. Ce n'était pas du tout ce que vous pensez.

— Lester était assez intelligent pour s'apercevoir que je l'avais à l'œil. Et Gwennie avec moi.

Jude arqua les sourcils.

— Tu veux dire Mlle Forsyth ? s'étonna-t-il.

— Elle-même, mon garçon. Gwennie et moi, on n'a pas quitté Cate du regard dès le moment où elle s'est installée ici.

De nouveau, la jeune femme fixa Jude, le visage illuminé par une expression de gratitude.

— Vous n'avez pas idée combien ils ont été bons avec moi, dit-elle.

— On a veillé sur elle comme un couple d'anges gardiens, expliqua Jimmy, l'air sombre. Mon Dieu, ça va lui faire un choc à Gwennie ! On pensait protéger Cate de cette canaille, et voilà qu'il lui laisse une fortune ! Je ne donne pas deux jours à Gwennie pour qu'elle commence à mener son enquête. Tu la connais, Jude.

Jude réprima un sourire.

Gwennie — Mlle Gwendoline Forsyth — avait enseigné jusqu'à sa retraite l'anglais, l'histoire et l'art dramatique à Sainte-Agathe, l'école privée de jeunes filles. On la connaissait pour ses idées excentriques. Férue d'ésotérisme, elle prétendait avoir régulièrement des expériences extracorporelles.

— Vous feriez mieux de me laisser régler cette affaire moi-même, suggéra-t-il. A propos, comment va Mlle Forsyth ? Fait-elle toujours des voyages astraux ?

Jimmy se mit à rire.

— Plus que jamais ! s'exclama-t-il. Sur des nuages en guise de tapis volants. L'autre jour, elle était au Tibet où elle faisait brûler de l'encens en compagnie du dalaï-lama. Elle se porte comme un charme. A soixante-quinze ans, elle continue de courir tous les matins sur la plage.

— J'aimerais bien avoir la même énergie quand j'aurai son âge, décréta Cate.

— Et elle a toutes ses dents, comme moi, renchérit Jimmy avec fierté. Mais bon, ce n'est pas ça qui aidera Cate.

Tandis que la jeune femmc remplissait sa tasse, il se tourna vers Jude.

— Comment pouvons-nous la protéger de Ralph ?

— Il faudrait déjà arriver à établir le lien entre elle et Lester, répondit-il. Il y en a forcément un. Cate, j'ai absolument besoin d'éclaircir certains points avec vous.

— Si vous avez des choses à vous dire en privé, je m'en vais, proposa Jimmy aussitôt.

— Non, je vous en prie, restez, dit la jeune femme. Je n'ai rien à cacher.

Le vieil homme la considéra un instant en silence avant de demander :

— Pourquoi êtes-vous venue ici, Catey ? Vous ne nous l'avez jamais dit. Gwennie pense que quand une belle fille comme vous vient s'enterrer dans un trou pareil, c'est pour fuir quelqu'un.

— Mais la région est magnifique ! protcsta-t-elle. Et puis j'aime ma galerie. Mes affaires marchent bien pendant la saison touristique.

— Peut-être. Il n'empêche que, belle comme vous êtes, vous auriez pu faire du cinéma. J'ai plus de soixante-dix ans, mais je ne peux pas détacher mes yeux de vous. Elle est superbe, n'est-ce pas ?

Ces dernières paroles s'adressaient à Jude, qui lança un long regard à Cate avant d'opiner.

— Et combien mystérieuse !

— Il est temps que je parte, maintenant, annonça le vieil homme. Vous avez des choses à vous dire tous les deux.

Il se leva.

— Merci pour le petit déjeuner, Catey. Et si j'invitais Gwennie à venir partager notre repas, ce midi, Jude ? Cate sera des nôtres aussi, bien sûr.

— C'est très aimable à vous, Jimmy. Mais il faut absolument que j'ouvre la galerie.

Jimmy éclata de rire.

— Pourquoi ? se récria-t-il. Vous êtes riche, maintenant, mon petit ! Vous pouvez vous permettre de faire une pause à midi. Gwennie en sait plus sur les Rogan que n'importe qui. Elle a eu Melly comme élève, et je sais que Myra se confiait facilement à elle. Elle pourrait peut-être bien nous éclairer sur le lien qui existe entre Les et vous.

Jude était dubitatif.

— A quel moment exactement Lester Rogan s'est-il installé dans la région ? demanda-t-il. Je l'ai toujours connu ici. Ralph et moi avons le même âge.

Jimmy gratta derechef son crâne chauve.

— Ce devait être un an ou deux avant qu'il n'épouse Myra. Tout le monde se demandait quelle fille du coin il choisirait. Je ne dis pas que Myra n'était pas belle en ce temps-là, mais le fait d'avoir un père qui s'était construit une fortune en achetant et en revendant des terres a dû peser dans la balance. Même si Les n'était pas lui-même sans le sou. D'où lui venait son argent, je l'ignore : il n'a jamais dit un mot sur sa famille, du moins autant que je sache. Gwennie se rappelle peut-être quelque chose, elle a été invitée au mariage — moi pas, je n'étais pas assez haut dans l'échelle sociale, mais ton papa et ta maman y sont allés, mon gars.

Jude s'assombrit. A l'époque, son père ne se doutait pas du sort que lui réservait l'avenir.

— De toute façon, cela me fera plaisir de revoir Mlle Forsyth, finit-il par déclarer. Vous viendrez aussi, Cate ?

Elle acquiesça d'un hochement de tête.

— Alors je retiens une table pour quatre chez Elio, annonça Jimmy en s'éloignant vers la porte.

Sur le seuil, il s'arrêta, lança à Cate un regard pétillant de malice et ajouta :

— Vous ne m'avez jamais vu tiré à quatre épingles, ma jolie. Eh bien, croyez-moi, vous n'allez pas me reconnaître.

— J'ai hâte de voir la métamorphose, rétorqua-t-elle avec gentillesse.

Quand Jimmy fut sorti, Cate commença à débarrasser la table.

— Laissez cela, dit Jude. Il est temps que nous discutions sérieusement. Allez m'attendre dans le salon, je vais chercher le testament.

Elle obtempéra.

Il ne tarda pas à revenir avec le document qu'il plaça d'autorité entre ses mains.

— Allez à la page deux.

La jeune femme commença à lire, la mine grave.

— Il y a plus de deux ans qu'il a été rédigé, murmura-t-elle après un moment. Avant même que je ne vienne vivre ici. Et il révoque tous les autres testaments.

— C'est exact. Dans le précédent, le principal bénéficiaire était Ralph.

— Ce document spécifie que je deviens propriétaire des terres, des maisons, des immeubles. Même la galerie m'appartient !

— Sans oublier l'argent. Tout vous revient, en somme.

Cate hocha la tête.

— Il ne donne aucune indication qui pourrait expliquer son geste, dit-elle dans un souffle.

— Quand il venait à la galerie, est-ce qu'il vous interrogeait sur votre enfance ? Sur votre mère ? Votre père ? Votre beau-père ? Répondez-moi, Cate, j'ai besoin de réponses.

— Je vous l'ai déjà dit : je n'ai pas de réponses.

Jude s'assit en face de la jeune femme, lui saisit la main.

— Vous ne me dites pas tout, Cate. Il y a des choses que vous préférez laisser dans l'ombre, j'en suis sûr.

Elle le défia du regard.

— Quoi par exemple ? Que Lester serait mon amant ?

— Est-ce qu'il l'était ?

Cate voulut retirer sa main, mais il la retint.

— Cate ?

— Lester était peut-être un homme avide de plaisirs, mais il s'est toujours conduit correctement avec moi, affirma-t-elle sur la défensive.

— Il n'y avait donc rien de sexuel entre vous ?

— Combien de fois faudra-t-il que je vous le répète ?

— Pardonnez-moi, mais je cherche la vérité pour pouvoir désamorcer la colère de la famille Rogan. Vous avez vu Ralph à l'œuvre, il est dangereux.

Elle détourna les yeux.

— C'est un porc.

— Je partage votre avis, vous n'avez pas à me convaincre. Malheureusement, je suis obligé de considérer l'hypothèse qu'il puisse exister un lien de sang entre lui et vous.

Le regard vert de Cate exprima l'horreur que cette supposition lui inspirait.

— Avant de venir vivre ici, je n'avais jamais vu Lester Rogan, dit-elle.

— Parlez-moi de votre famille. Commençons par votre mère. Pensez-vous qu'elle ait pu, à un moment ou à un autre, avoir connu Lester Rogan ?

— Non.

— Comment pouvez-vous en être sûre ?

— Elle ne serait jamais tombée amoureuse d'un homme comme lui. Elle n'avait que vingt ans quand elle a épousé mon père. Tony l'aimait et aurait voulu qu'elle devienne sa femme, mais elle avait donné son cœur à papa.

— Quel était son nom de jeune fille ?

Cate se leva brusquement.

— Je suis désolée, Jude, mais il m'est impossible de parler de maman. C'est encore trop frais. Cela me fait mal.

— Je vous en prie.

— Courtney.

— S'il vous plaît, essayez de supporter l'épreuve encore un petit instant. Votre mère est née en Australie ?

— Oui. Mais pas mon père. Je vous l'ai dit hier soir, il était originaire d'Irlande.

— Je me demande s'il a pu connaître Lester Rogan. Rogan est un nom irlandais, n'est-ce pas ? Rogan, Regan, Reagan…

La jeune femme se laissa retomber sur son siège, les yeux fixés pensivement sur lui.

— Et alors ? Les émigrés irlandais ne manquent pas en Australie. Qui ici, à part les gens originaires d'Asie, n'a pas des ascendants anglais, irlandais ou écossais ? Lester Rogan avait un accent australien très prononcé. Il avait de l'argent, certes, mais il ne s'exprimait pas comme quelqu'un de distingué. Mon père par contre était un homme extrêmement cultivé, de très bonne éducation. J'étais fière de lui. Je ne vois pas quel rapport il y aurait entre lui et Rogan. Je voudrais rentrer chez moi, Jude.

La pièce baignait dans le silence.

Ils restaient tous deux muets, essayant de donner un sens à ce qui leur arrivait, incapables l'un et l'autre d'oublier l'épisode passionné de la plage.

— Ce ne serait pas prudent, dit Jude.

Il brûlait de prendre la jeune femme dans ses bras, de la couvrir de baisers. Mais il se contrôla, conscient qu'en cédant à cette pulsion, il risquait de provoquer un désastre. Que savait-il de Cate Costello, sinon qu'elle était d'une beauté à damner un saint et qu'elle avait eu son lot de malheurs ? Il ne voulait pas la blesser davantage.

— Je n'ai pas le choix, argua-t-elle.

— Vous pouvez rester ici, proposa-t-il. Vous y êtes en sécurité.

Elle émit un petit rire.

— Vraiment ? Qui me dit que vous ne cherchez pas une aventure ?

— Vous me plaisez beaucoup, Cate, je ne peux pas le nier. Surtout après ce qui s'est passé hier soir. Mais j'ai un travail à faire. Si j'insiste pour que vous ne retourniez pas chez vous, c'est que j'ai une bonne raison : tel que je le connais, Ralph ne renoncera pas. En plus, il boit. Il boit depuis l'âge de quatorze ans.

— Et vous pensez qu'il me ferait du mal ?

— Vous le pensez aussi, Cate.

— Et si j'allais chez Mlle Forsyth ? Elle accepterait de m'accueillir, j'en suis sûre.

— Vous avez si peur de moi ? demanda-t-il, un demi-sourire aux lèvres.

La jeune femme le fixa dans les yeux, apparemment incapable de mettre un nom sur les sentiments qu'il lui inspirait.

Comme elle demeurait silencieuse, il enchaîna :

— Pour en revenir à votre hébergement, je dispose de beaucoup de place ici. Tandis que Mlle Forsyth a une maison très petite. Et pleine de chats, je parie ! Elle est un peu bizarre, vous savez.

La tension de Cate tomba.

— Excentrique, rectifia-t-elle avec indulgence.

Après un instant, elle ajouta :

— Et si Ralph vient ici ? Il apprendra forcément que vous m'offrez l'hospitalité. Cela le rendra furieux.

— Plus furieux qu'il n'est déjà ?

Jude haussa un sourcil, l'air moqueur.

— Ne vous inquiétez pas. Le souvenir de notre dernier affrontement à coups de poing doit être resté gravé dans sa mémoire. Mais ce n'est pas le moment de discuter de cela. Je vous conduis chez vous. Il faut que vous vous changiez pour le déjeuner. Nous en profiterons pour vérifier que tout est en ordre.

6.

La porte de derrière avait été fracturée. Jude n'eut qu'à la pousser pour entrer.

Il se tourna vers Cate.

— Restez dehors, ordonna-t-il.

Ralph n'avait pas attendu longtemps pour prendre sa revanche. Dans la salle de séjour régnait un véritable chaos. On avait fouillé tous les meubles, on les avait vidés de leur contenu. Livres, disques, cassettes, vaisselle gisaient pêle-mêle sur le parquet ciré.

Jude pénétra dans la chambre, retenant son souffle. Cate l'avait rejoint malgré son injonction. Elle contempla avec horreur le cataclysme qui s'offrait à ses yeux : vêtements arrachés aux armoires et aux tiroirs jetés au sol, bibelots brisés, bijoux éparpillés partout, piétinés... Seul, pour une raison mystérieuse, le portrait que Tony avait fait d'elle enfant avait été épargné.

Dans la salle de bains flottait un mélange de parfums provenant des flacons de verre et des pots de porcelaine cassés dont les débris jonchaient le carrelage. Après avoir jeté un rapide regard à cet affligeant spectacle, Cate étouffa un cri :

— Seigneur, la galerie !

Immédiatement, elle se dirigea vers le magasin dont elle avait la clé en main. Jude la regarda ouvrir la porte, l'estomac noué. Que découvriraient-ils à l'intérieur ?

— Dieu soit loué, il n'a pas réussi à s'introduire dedans, constata la jeune femme avec soulagement. Je me félicite d'avoir fait installer une serrure robuste.

Elle alluma les lumières.

— Merci, mon Dieu ! s'exclama-t-elle, totalement rassurée. Tout est intact.

Jude regarda autour de lui. Au soulagement qu'il avait d'abord éprouvé succéda un sentiment d'admiration proche de la fascination. Il se souvenait des lieux du temps de Tony Mandel, mais Cate avait transformé la galerie d'art aux murs austères en un fabuleux palais des mille et une nuits.

Les cristaux — aigues-marines, améthystes, quartz rose, obsidienne, citrines, agates… —, rangés sur de longues étagères ou disposés artistiquement sur des présentoirs de métal chromé ou de verre, projetaient un kaléidoscope de couleurs. Le violet, l'indigo, le bleu, le vert, le jaune, l'orangé, le rouge, tous les tons de l'arc-en ciel, déclinés dans toutes les nuances, irisaient l'univers de Cate Costello. Un univers issu du ventre de la terre.

— C'est extraordinaire ! s'exclama-t-il. Je n'ai jamais rien vu de plus beau.

— Merci, dit Cate avec un petit sourire, son regard vert s'attardant sur lui tandis qu'il contemplait les trésors qu'elle avait rassemblés.

— Heureusement qu'il n'a pas réussi à entrer, commenta-t-il, troublé. A moins qu'il n'ait été dérangé. C'est l'œuvre de Ralph, naturellement. Ralph ou quelqu'un qu'il a payé pour faire le sale boulot à sa place. Ce ne serait pas la première fois. Il faut appeler la police, Cate. Il ne s'en tirera pas comme ça.

— Et si ce n'était pas lui ?

Une ombre avait soudain assombri le visage de la jeune femme.

Il la considéra comme si elle venait d'énoncer une incongruité.

— Qui d'autre aurait fait cela, Cate ? Après ce qui est arrivé…

— Même si c'est lui, je préfère ne pas appeler la police. Parce que c'est ce qu'il cherche. Il veut que toute l'histoire devienne publique. Il veut que la ville entière prenne parti contre moi. De toute façon, il se sera arrangé pour avoir un alibi en béton. Il affirmera avoir passé la nuit chez une fille quelconque, et elle le jurera aussi.

— Je sais de quoi Ralph est capable, en effet. Je connais ses amis aussi. On trouvera des traces de son ADN partout dans la maison, et naturellement il mettra cela sur le compte de sa visite précédente…

— C'est exactement ce qui se passera. C'est pourquoi je refuse de prévenir la police.

Cate paraissait sous l'emprise d'une véritable angoisse. Jude aurait voulu la prendre dans ses bras, effacer de son visage cette expression désemparée.

— Vous vous trouvez en face d'un ennemi, Cate, rappela-t-il. La prochaine fois, il s'en prendra à la galerie. Songez au dégât que cela représenterait d'abîmer une collection aussi magnifique.

A son tour, elle regarda autour d'elle, engloba d'un coup d'œil les précieux cristaux.

— Je suis heureuse que vous les trouviez beaux. Je vais faire installer un système de sécurité le plus vite possible.

— Ce serait une bonne idée.

Après un silence, Jude ajouta :

— Plus j'y pense, plus je crois que Ralph a délégué quelqu'un pour faire le travail. Ce qui expliquerait pourquoi votre portrait n'a pas été touché. Le vandale en question ne vous a sans doute pas reconnue dans la petite fille représentée sur la toile. Ce portrait est très beau, d'ailleurs.

Cate opina de la tête.

— Tony est un artiste de talent. J'aurais été terriblement choquée si ce tableau avait été endommagé. Il a une énorme valeur sentimentale pour moi.

— Et une valeur marchande aussi, fit remarquer Jude.

— Comme toutes les œuvres de Tony, rétorqua la jeune femme.

Elle détourna la tête comme pour échapper à son regard aigu.

— Je me sentirai mieux une fois que j'aurai remis de l'ordre dans la maison, ajouta-t-elle.

Jude consulta sa montre.

— Je vais annuler le déjeuner.

Cate reporta les yeux sur lui.

— Allez-y sans moi.

— Ne soyez pas ridicule ! Je persiste à penser que vous devriez alerter la police, Cate.

Elle repoussa une longue mèche de ses cheveux cuivrés derrière l'oreille.

— Je vous en prie, Jude, dit-elle. Je ne veux pas.

— Pourquoi est-ce que je n'arrive pas à me débarrasser de l'impression que vous me cachez quelque chose, Cate ?

Elle ferma les paupières l'espace d'une seconde.

— Vous vous trompez, croyez-moi. Bon, je ferais mieux de commencer à ranger.

Jude sortit son téléphone portable de sa poche.

— Accordez-moi une minute pour téléphoner à Jimmy. Ensuite, je vous aiderai. N'entrez pas dans la salle de bains. Avec tout ce verre brisé, je me charge de la nettoyer.

Jimmy, qui était venu constater lui-même les dommages, avait averti sa vieille amie.

Devant le chaos qui régnait dans la chambre, Gwendoline Forsyth resta muette.

— Jimmy m'a dit que vous préfériez ne pas ébruiter cette affaire, finit-elle par dire. Mais, comme lui et comme Jude, je pense que vous devriez appeler la police. Ralph Rogan mérite que quelqu'un lui donne une bonne leçon.

Cate considéra avec affection la visiteuse.

Grande, maigre, cheveux blancs retenus en chignon austère, visage à l'ossature proéminente, nez à la courbure aristocratique, Mlle Forsyth portait une de ces tenues impeccables qu'elle lui avait toujours connues : une tunique de coton blanc à manches longues et col Nerhu, un pantalon large beige et des sandales de cuir naturel.

— Il a déjà reçu une bonne leçon, mademoiselle Forsyth, répliqua-t-elle. De la part de son père. Je sais que Jimmy n'a pas de secret pour vous, il a donc dû vous annoncer que j'étais la principale légataire de Lester Rogan.

Mlle Forsyth renifla.

— C'est le genre de surprise qui peut vous faire tomber raide mort par crise cardiaque, commenta-t-elle.

Elle se baissa pour ramasser sur le parquet une robe encore accrochée à son cintre.

— Il y a quelque chose que je dois vous demander, mon petit, ajouta-t-elle. Connaissiez-vous Lester avant de venir ici ? Peut-être étiez-vous obligée de tenir votre relation secrète ?

— Je n'avais jamais entendu parler de Lester Rogan avant de mettre les pieds dans cette ville. Je n'ai pas cessé de le répéter à Jude. Il s'est montré très bon à mon égard, mais il ne croit pas un mot de ce que je dis !

— Jude est quelqu'un de bien, commenta Mlle Forsyth en opinant de la tête. Cependant pour ce qui est de vous croire, avouez qu'il s'agit d'une histoire des plus étranges. Mais les histoires les plus étranges sont les plus passionnantes. Il y a forcément un lien entre vous et Rogan. Il se trouve seulement que ce lien vous échappe encore.

— J'ai beau m'y efforcer, je n'arrive pas à trouver ce qui pourrait me relier à cet homme, affirma Cate, allant et venant nerveusement entre le lit et la penderie.

Sa visiteuse ramassa encore quelques T-shirts éparpillés au sol.

— Je les mets dans quel tiroir ? s'enquit-elle.

— Celui du haut, s'il vous plaît. Mais ne vous donnez pas cette peine. Je vous en prie, asseyez-vous.

— Je suis incapable de rester sans rien faire.

Mlle Forsyth commença à plier soigneusement les vêtements de coton et à les ranger dans la commode de teck.

— Revenons-en aux faits, reprit-elle. En apprenant la teneur du testament, Ralph est devenu fou furieux, ce qui n'a rien d'étonnant. Aucune famille n'accepterait de se faire traiter de la sorte. C'est du Lester tout craché : il n'y avait pas plus cruel que lui. Il a fait mener aux siens une vie d'enfer. Du moins, quand il était là, parce qu'il avait toujours quelque bon prétexte pour s'absenter. Le travail, prétendait-il, mais en fait il se livrait aussi à des activités plus exotiques.

Cate s'immobilisa et considéra Mlle Forsyth avec perplexité.

— Comme quoi ?

La vieille demoiselle branla du chef.

— Lester accumulait les relations amoureuses. Avec le temps, Myra a fini par s'accommoder de la situation. Mais je ne serais pas étonnée que son mari ait des rejetons un peu partout dans la région.

— Ce n'est pas une raison pour me regarder comme ça, protesta Cate devant le regard aigu de sa vieille amie. Ma mère aimait mon père, il était le seul homme de sa vie.

— J'en suis sûre, mon petit. Ne soyez pas contrariée. Nous ne faisons qu'envisager toutes les possibilités.

— Et puis, je l'ai déjà dit à Jude, je tiens de la famille de mon père. Ils étaient roux avec le teint pâle, comme moi. Je n'ai rien à voir avec les Rogan par le sang. Pourquoi Lester était-il si aimable avec moi, je l'ignore. Pourquoi m'a-t-il légué la majeure partie de sa fortune, je ne le sais pas non plus. Son geste ne me ravit pas, croyez-moi. Je ne veux pas de son argent. Je sais qu'avec Jimmy, vous vous inquiétiez quand il venait me voir à la galerie, mais nous ne faisions rien d'autre que bavarder ensemble.

— Et de quoi discutiez-vous exactement ? Dites-le-moi, je vous écoute. Je ne veux que vous aider.

Cate haussa les épaules, impuissante.

— Je sais, mademoiselle Forsyth, répondit-elle. Mais, je vous l'ai déjà dit, nous parlions de tout et de rien. Des cristaux, de leurs propriétés. Il m'en a acheté quelques-uns. Il aimait aussi m'entendre raconter ce que je faisais avant de venir ici.

— A-t-il réussi à vous arracher des confidences sur votre vie personnelle ?

Cate rougit.

— Il m'est arrivé d'évoquer mon enfance, ma mère, mon père. Mais sans entrer dans les détails. Nous parlions de Tony aussi, naturellement. C'est mon ami Tony qui lui avait vendu la galerie et qui m'avait parlé de l'opportunité de la louer.

Mlle Forsyth posa le chandail qu'elle pliait et repliait machinalement et la considéra d'un œil perçant.

— Vous ne parlez jamais de votre passé, mon petit, fit-elle remarquer. Nous respectons votre vie privée, naturellement. Mais nous sommes entre amis. Vous pouvez nous faire confiance. Il y a forcément un lien entre vous et Lester, sinon, il ne vous aurait pas couchée sur son testament.

Cate exhala un long soupir avant de répondre.

— Non, je n'en vois aucun. Honnêtement, mademoiselle Forsyth. Et quoi que puisse en penser Jude, je n'ai pas été la maîtresse de Rogan.

— Jude est avocat, mon petit, il est obligé d'envisager toutes les hypothèses. Je suis sûre que cette idée ne lui a pas traversé l'esprit plus de dix secondes. Juste le temps de s'apercevoir que c'était une erreur. A mon avis, tout ceci a quelque chose à voir avec votre famille. Quels que soient ses défauts, Lester était quelqu'un de rationnel. Il a toujours agi d'une manière logique. Il doit donc exister une explication à son geste. Essayez de vous rappeler si vos parents vous ont dit quelque chose qui pourrait nous aider.

Cate s'assit sur le bord du lit et posa son front entre ses mains.

— Comment auraient-ils pu me dire quelque chose ? Je suis orpheline.

Mlle Forsyth hocha la tête, s'investissant à fond dans le rôle de détective qu'elle s'était fixé.

— Vous êtes orpheline aujourd'hui, Cate, j'en suis désolée pour vous. Mais vous avez vécu plusieurs années avec vos parents. Ils ont peut-être connu Lester quand vous étiez petite. Trop petite pour vous puissiez vous en souvenir. Lester n'avait rien d'un philanthrope, le lien qui l'unissait à eux devait être très fort pour avoir subsisté pendant si longtemps. Peut-être avait-il une dette envers votre famille ? Et comme il se savait candidat à une crise cardiaque ou à une attaque, il a voulu mettre de l'ordre dans sa vie avant de mourir.

De nouveau, Cate soupira.

— Dommage qu'il n'ait pas pensé à l'impact que son testament produirait sur sa famille. Il connaissait son fils. Il aurait pu prévoir qu'en agissant ainsi, il me désignait comme cible à la colère de Ralph.

Mlle Forsyth se laissa tomber dans un fauteuil. Les pommettes rosies par l'excitation, elle suggéra :

— Et si Lester avait quelque cadavre dans le placard et avait voulu faire réparation ni vu ni connu ?

L'espace d'un instant, Cate demeura pétrifiée, incapable de prononcer un mot.

— Ce qui est certain, c'est qu'il m'a mise en danger, finit-elle par marmonner d'un ton lugubre.

Après que le nouveau système de sécurité eut été installé, Jude et Jimmy vinrent prêter main-forte aux deux femmes pour remettre la maison en état. Lorsque les lieux furent en ordre, Mlle Forsyth prépara un repas rapide — poulet froid, avocats aux crevettes accompagnés de mayonnaise, mousse de crabes, fromage blanc, le tout arrosé de thé glacé — que les convives dégustèrent avec appétit.

Jimmy exprima sa gratitude à la cuisinière improvisée en déposant un baiser sonore sur sa joue.

— Et si l'on se mariait un de ces jours, Gwennie ? demanda-t-il.

Elle rit.

— Tu ne risques rien en me proposant le mariage, Jimmy : tu sais fort bien que jamais je ne dirai oui. Mieux vaut rester amis.

— Je ne puis que m'incliner devant la parole d'une femme qui s'est sauvée par la fenêtre de la salle de bains le matin de ses noces, répliqua-t-il.

Plaisantait-il ou non ? Cate n'aurait su le dire.

— C'est vrai, mademoiselle Forsyth ? s'enquit-elle.

— Pas du tout ! s'indigna la vieille dame en gratifiant Jimmy d'un coup de coude amical dans les côtes. Comment oses-tu souiller ainsi ma réputation, espèce de brigand ! La vérité, c'est que je me suis enfuie par la fenêtre de la salle de bains pour échapper au pasteur Terence King, mon fiancé, l'homme le plus sinistre que la terre ait porté. J'avais passé une bonne heure à l'écouter répéter un sermon, et je n'avais qu'une envie : mettre de la distance entre lui et moi. En brisant nos fiançailles, j'ai aussi brisé le cœur de ma mère, du moins c'est ce qu'elle a dit : c'était elle qui me l'avait imposé. De toute façon, je n'aurais pas fait une bonne épouse de pasteur, je déteste trop l'hypocrisie. En fait, je me suis accomplie en voyageant partout dans le monde avant de m'installer dans ce merveilleux pays.

— Vous êtes anglaise, mademoiselle Forsyth ? s'enquit Jude.

— Anglo-irlandaise, rectifia-t-elle.

— Cela s'entend quand elle parle, commenta Jimmy.

Sa vieille amie le toisa d'un regard faussement scandalisé.

— Cet individu n'arrête pas de me taquiner à propos de ce qu'il appelle mon accent irlandais, se plaignit-elle.

Le front plissé, elle ajouta :

— Lester Rogan aussi avait un léger accent irlandais. Il semblait avoir comme moi quelques difficultés à s'en débarrasser. A mon avis, il traînait sur les mots exagérément pour se donner l'air d'un vrai australien.

— C'est vrai, admit Cate. En fait, il avait deux manières de parler. J'avais oublié ce détail.

— Je dirais aussi qu'il avait deux personnalités, avança Jude. Et s'il était né en Irlande comme le père de Cate ? Cela conforterait l'hypothèse qu'il existe un lien entre eux.

Cate poussa un soupir d'exaspération.

— Même si c'était vrai, ce qui n'est pas le cas, pourquoi Lester Rogan m'aurait-il légué la plus grande partie de sa fortune sans me laisser la moindre explication ?

— Mais oui, pourquoi n'y avons-nous pas pensé avant ? s'exclama Mlle Forsyth. S'il existait un quelconque lien de parenté entre les deux familles, ce cher Matthew l'aurait sûrement persuadé d'écrire une lettre justifiant son geste.

— J'ai fouillé tous les dossiers de mon père, dit Jude. Je n'ai rien trouvé.

— Ce qui ne veut pas dire qu'il n'était pas au courant de la vérité, commenta Jimmy. Mais il est mort prématurément et il a emporté ce secret dans sa tombe.

— Quelle tragédie cela a été ! soupira la vieille demoiselle. Quant à Lester, on peut dire qu'il a mis tout le monde dans une terrible situation.

Elle hocha la tête et continua :

— Regardez Cate. La pauvre petite ! Je n'ose penser à ce qui se serait passé si vous n'étiez pas arrivé à temps hier soir, Jude.

Les yeux de Jude brillèrent d'un éclat neuf.

— Je n'ai pas réussi à persuader Cate de porter plainte contre Ralph, mais je peux parler à cette brute. Et à sa mère.

— Pauvre Myra, s'apitoya Mlle Forsyth. Lester ne l'a jamais aimée. A se demander pour quelle raison il l'avait épousée. Pour son argent ? Il n'en avait pas besoin, il était déjà suffisamment riche comme ça.

— C'est certain, approuva Jimmy. Mais d'où lui venait sa fortune personnelle, mystère… Je l'ai toujours considéré comme un peu filou. Sûr que ce n'était pas un honnête homme comme ton père, Jude. Si seulement ce vieux Matt était encore là, il te dirait tout ce que nous avons besoin de savoir.

7.

— Qu'est-ce qui me vaut l'honneur de ta visite ?

Assis derrière le bureau de son père, Ralph considérait Jude, l'air mauvais. Il avait le regard vague d'un homme dont le cerveau est encore embrumé par le whisky, et il ne s'était pas rasé.

— Je suis ici pour veiller aux intérêts de ta mère et de ta sœur. Et à ceux de Cate Costello, naturellement.

— Naturellement, persifla Ralph. Comme toujours, tu endosses le beau rôle, celui du chevalier sans peur et sans reproche.

— Au lieu de te moquer, dis plutôt à Mel ce que tu as fait hier soir, avant que je ne raconte tes exploits à toute la ville !

Ralph jeta un coup d'œil vers sa sœur — c'était elle qui avait accueilli Jude au manoir, et elle se tenait discrètement sur le seuil de la pièce —, puis il reporta son attention sur lui.

— Tu n'oserais pas.

— Qu'est-ce qu'il a fait ? demanda avec curiosité Melinda en s'avançant.

— Ça ne te regarde pas ! hurla Ralph.

— Il vaudrait mieux que tu ne restes pas là, Mel, conseilla Jude. Tu as suffisamment de soucis comme ça.

La jeune femme s'immobilisa un instant, le regard fixé sur son frère.

— Un jour, tu feras quelque chose de vraiment horrible, Ralph, soupira-t-elle.

— Si tu ne te tiens pas tranquille, je vais le faire tout de suite, menaça-t-il en se levant.

— Assieds-toi, Ralph ! N'aggrave pas ton cas.

Ces paroles prononcées d'un ton péremptoire produisirent leur effet, Ralph obtempéra.

— A ta place, je ferais un effort pour traiter ma mère et ma sœur de manière correcte, poursuivit Jude. Tu n'es pas chez toi, ici. Ce bureau n'est pas le tien, pas plus que ce fauteuil. Cette maison appartient à ta mère.

— C'est vrai, approuva Melinda comme si elle venait d'être mise en face d'une réalité dont elle n'avait pas conscience auparavant.

Se tournant vers Jude, elle ajouta :

— Veux-tu boire quelque chose, Jude ? Thé, café, ou une boisson fraîche ?

La tête légèrement penchée, elle ressemblait à un oiseau.

Le cœur de Jude s'emplit de compassion pour elle. Quelle enfance et quelle jeunesse elle avait eues !

— Rien pour le moment, Mel, répondit-il. Mais nous pourrions prendre un café ensemble avant que je ne parte.

— Avec plaisir.

La couleur était revenue aux joues livides de la jeune femme. Son frère attendit qu'elle eût refermé la porte derrière elle pour faire remarquer :

— Cette idiote est amoureuse de toi.

— Ne raconte pas de stupidités, protesta Jude. Combien de fois Mel m'a-t-elle vu ces dernières années ?

— Déjà quand on était gamins, insista Ralph, ignorant sa remarque, elle en pinçait pour toi. Ça peut se comprendre, tu as toujours plu aux filles.

Jude haussa les épaules.

— Ecoute, je ne suis pas venu ici pour parler de moi. Je préfère que l'on aborde le sujet de tes récents actes.

Ralph s'appuya confortablement contre le dossier de son fauteuil, les mains nouées derrière la nuque.

— D'accord. Je sais que je ne me suis pas bien conduit hier soir, mais je me suis excusé. J'étais ivre. Complètement rétamé.

— Tu es revenu chez Cate pendant la nuit et tu as mis à sac son appartement.

— Jamais de la vie ! Tu déménages, mon vieux !

— Pas du tout. Tu as laissé des traces de ton ADN partout.

— Et alors ? Je n'ai jamais nié avoir rendu visite à cette petite garce.

— Je ne te permets pas de l'injurier, Ralph, avertit Jude.

Ralph pencha au-dessus du bureau son torse massif.

— Eh, on dirait qu'elle t'a tapé dans l'œil, la rouquine ! Je reconnais que c'est une beauté, mais elle n'est pas mon type. Si son appartement a été saccagé, je n'y suis pour rien. Après vous avoir quittés, je suis allé chez Amy Gibson et j'ai passé la nuit dans son lit. Appelle Amy si tu veux, elle confirmera.

— Combien l'as-tu payée pour ce faux témoignage ? De toute façon, personne ne te croira. Tu avais un mobile.

— Ce n'est pas moi. Des tas de gars dans la ville s'intéressent à la Costello. Peut-être a-t-elle aguiché un mec pour le laisser sur sa faim et s'est-il vengé ? Pour manipuler les hommes, elle s'y connaît. Elle a bien su s'y prendre avec papa.

— Ecoute-moi bien, Ralph, essaie encore une fois de l'approcher, de la menacer, de porter atteinte à ses biens, et je te jure que tu t'en repentiras. Je te traînerai en justice, et la cour ne te fera pas de cadeau.

Ralph perdit tout à coup de sa superbe.

— Bon sang, ne sommes-nous pas supposés travailler ensemble ? s'exclama-t-il. Cette fille aux cheveux rouges a volé mon héritage. C'est moi l'aîné des Rogan, le fils unique. C'est à moi que revenait la succession. Qui est-elle ? Si elle n'était pas sa maîtresse, qu'était-elle pour mon père ?

— Je te promets que je mènerai mon enquête et que je te ferai mon rapport. Mais je suis venu te donner un avertissement. Laisse tomber l'alcool, Ralph. Et ne t'approche plus de Mlle Costello. Je ne vous blâme pas, toi, ta sœur et ta mère, de vous sentir trahis, mais je te blâme de t'en être pris à elle. Dans tout ceci, elle n'est qu'une innocente victime, j'en suis convaincu.

— Une victime ? Elle est riche ! Immensément riche ! Et vous avez l'air de vous entendre comme deux larrons en foire, dit-il d'un ton sarcastique. Pff, de toute façon, je m'en fiche.

Mais soudain toute son agressivité disparut.

— Comment vas-tu t'arranger pour régler cette affaire ? continua-t-il. Je ne peux pas rester ici, les bras croisés, et laisser une étrangère s'en aller avec le patrimoine familial ! Tu ne laisseras pas faire cela, n'est-ce pas ? Il faut que tu te battes pour empêcher cette monstruosité. C'est une histoire de fous.

— Là-dessus, je suis d'accord avec toi. Cate Costello aussi, je veux que tu le saches. Elle jure qu'elle n'a aucune idée de la raison qui a poussé ton père à agir ainsi.

Ralph poussa un juron, leva les bras en l'air.

— Et tu fais confiance à une femme ? s'indigna-t-il. Vraiment, Jude, la manière dont ta mère s'est comportée ne t'a pas servi de leçon ? Elle vous a plaqués, ton père et toi, pour suivre cet Américain. Voilà de quoi les femmes sont capables !

Un autre juron, puis il haussa les épaules.

— Ce n'est même pas une question de sexe, c'est une question d'argent : elles en veulent toujours plus. Elles vendent leurs corps dans la rue, dans les hôtels. Toutes des prostituées. Cette rouquine est comme les autres. Elle est peut-être venue s'installer ici pour suivre papa ? Peut-être même qu'elle a été la petite amie de Mandel, qui sait ?

Il y avait un reflet tragique dans ses yeux sombres.

— On peut considérer les choses sous un autre angle, dit Jude. Est-il arrivé à ton père d'évoquer son enfance, son pays natal ? Avait-il une famille ?

Ralph se frotta machinalement le visage.

— Avec cette histoire à dormir debout, j'en oublie de me raser, marmonna-t-il. Pour ce qui est de papa, on aurait tous été sous le choc s'il nous avait fait la moindre confidence. Il n'était pas du genre à raconter sa vie. Une fois, juste avant qu'ils ne se marient, il avait dit à maman qu'il avait perdu toute sa famille quand il était petit. Aujourd'hui, j'en arrive à me demander s'il ne les avait pas tués. Ou, du moins, s'il n'avait pas souhaité leur mort. Quoi qu'il en soit, je ne peux rien te dire des origines de mon père. Il faisait partie de ces gens qui semblent surgir de nulle part.

— Mlle Forsyth a décelé un soupçon d'accent irlandais dans sa manière de parler.

Ralph émit un rire acerbe.

— Comment diable a-t-elle pu s'en rendre compte ?

— Elle a elle-même des ascendances anglo-irlandaises.

— Balivernes ! C'est une authentique Anglaise. Je la croyais intelligente, mais je me suis trompé. L'accent de papa était purement australien. Et quand bien même il serait irlandais, qu'est-ce que cela aurait à voir avec le testament ?

— Le père de Cate Costello était irlandais. Malheureusement, il n'est plus là pour que nous puissions lui poser quelques questions.

— A quel sujet ? demanda Ralph, dont les traits exprimaient à présent la plus grande perplexité.

— Au sujet d'un lien possible entre lui et ta famille. Il y a des points qui nous échappent. Je te demande de m'accorder un peu de temps.

Ralph s'agita dans l'immense fauteuil.

— Tu ne retournes pas à ton cabinet en ville ?

Jude hocha la tête.

— Je reste ici pour le moment, dit-il. Je suis en vacances, cela me laisse suffisamment de temps pour résoudre le problème.

— Ne t'avise pas de lui donner ta bénédiction pour qu'elle file avec mon argent ! Je ne le supporterai pas. La fortune de papa me revenait de droit.

— Légalement, ton père ne te devait rien de plus, Ralph. Même si c'est loin de ce que tu espérais, il t'a laissé de quoi vivre plus que confortablement jusqu'à la fin de tes jours.

— Je ne m'avouerai jamais vaincu. Sous ses airs angéliques, cette femme nous cache quelque chose. A toi de le découvrir, Jude. Nous n'avons jamais été amis, toi et moi. Je n'arriverai jamais à éprouver la moindre sympathie à ton égard : j'ai trop souffert d'entendre papa vanter tes qualités et me rabaisser en me comparant à toi. Pourtant, bizarrement, je te fais confiance en tant qu'avocat, exécuteur testamentaire de mon père. Trouve qui elle est, Jude. En apprenant la vérité, on sera peut-être capables d'arriver à un arrangement dans cette affaire.

Jude se leva.

— N'oublie pas que tu as une autre affaire sur le dos, rappela-t-il. Peut-être n'as-tu pas saccagé l'appartement de Cate toi-même ? Je suis même convaincu que tu as fait appel à quelqu'un — probablement Kramer — et que tu lui as recommandé de porter des gants. Il vaudrait mieux que tu ne recommences pas. Dis à ton ami Kramer que j'ai l'œil sur lui aussi.

— Ta jolie pouliche peut dormir sur ses deux oreilles, grommela Ralph. Il ne lui arrivera rien de mal, dis-le-lui. Dis-lui aussi que c'était ma manière de protester contre une injustice. Tu me promets que tu t'occuperas d'éclaircir cette histoire ?

— Il faut que je l'éclaircisse, Ralph. La clé se trouve quelque part dans le passé, j'en suis sûr.

*
* *

Lorsque Jude revint à la galerie, l'appartement avait été remis en état. Cate finissait d'arranger dans un vase un énorme bouquet de lotus bleus. Au moment même où il la vit à travers la porte vitrée, il éprouva le besoin impérieux de la serrer dans ses bras.

Il avait entendu parler du coup de foudre. Manifestement, il l'avait reçu de plein fouet.

Dès qu'il entra, elle abandonna les fleurs.

— Vous voilà enfin ! s'exclama-t-elle. J'étais tellement inquiète.

Il avança vers elle.

— Il ne fallait pas, dit-il. Ralph était chez lui, nous avons discuté. Il a quasiment admis qu'il avait mandaté quelqu'un pour saccager l'appartement. Une manière de protester contre l'injustice, a-t-il déclaré. Je pense que cela ne se renouvellera pas.

Il mourait d'envie de la prendre contre lui, de l'embrasser. Prudemment, il reporta son attention sur les fleurs.

— Quel joli bouquet !

— C'est Jimmy qui m'a apporté ces lotus, expliqua la jeune femme en caressant l'une des somptueuses corolles. Et Mlle Forsyth m'a donné ce vase, une antiquité. Vous faites beaucoup pour moi, Jude. Vous êtes allé rendre visite à Ralph Rogan. J'ai vu à quel point il pouvait être dangereux.

— Il se tiendra tranquille désormais, rassurez-vous. Avez-vous demandé à Mlle Forsyth si elle pouvait vous héberger une nuit ou deux ?

— C'est elle qui me l'a proposé, en fait. Je l'ai remerciée et je lui ai dit que je serais parfaitement bien ici. Avec le système d'alarme que Hazlert a installé, je me sens en sécurité.

— Vraiment ?

Jude fixa Cate dans les yeux.

— J'espérais que vous reviendriez chez moi le temps que vous recouvriez vos esprits. Et que je recouvre les miens.

— Je ne peux pas, Jude.

— Pourquoi ? Je ne vous propose pas de participer à des orgies. Je souhaite seulement vous avoir sous les yeux jusqu'à ce que les choses se calment. Et puis, vous auriez ainsi tout le loisir pour me parler de vous. J'ai besoin de savoir.

— Je ne veux pas quitter la galerie, affirma-t-elle au prix d'un effort visible.

— Cate, dit Jude doucement, je sais que vous avez quelque chose à me dire.

— Tout le monde a quelque chose à dire, non ? répliqua-t-elle.

Il haussa les épaules.

— Probablement. Mais votre histoire a des répercussions particulièrement dramatiques. Une menace pèse sur vous. Vous venez d'avoir deux mauvaises expériences.

— J'en ai connu de pires.

— Si vous en parliez à quelqu'un, cela vous aiderait peut-être. Regardez-moi, Cate.

Elle demeura silencieuse un instant avant de demander :

— Nous connaissons-nous seulement depuis hier ?

— Je n'en ai aucune idée. Vous êtes magicienne, ajouta-t-il avec un sourire d'autodérision. Vous m'avez jeté un sort.

— Quel genre de sort ?

— Le genre mystérieux.

— Alors méfiez-vous.

Il laissa ses yeux s'attarder sur le fin visage de la jeune femme.

— Merci pour l'avertissement, Cate. J'en tiendrai compte. Maintenant, venez. Je vous emmène chez moi.

— Savez-vous à quel moment exactement vous m'avez ensorcelé ? demanda Jude.

Ils venaient de s'approvisionner en fruits de mer chez un mareyeur et ils rentraient après s'être arrêtés dans une ferme pour acheter des salades et des légumes fraîchement cueillis.

— Non, mais vous allez me le dire, répondit Cate en lui décochant un regard de biais.

— Dès le premier regard que j'ai posé sur vous, expliqua-t-il. C'était à l'église, quand vous essayiez en vain de passer inaperçue.

Après un silence, il ajouta d'une voix presque lugubre :

— Il n'y a que les femmes pour avoir un tel pouvoir.

— Pourquoi prenez-vous cet air sinistre, tout à coup, Jude ? Dites-le-moi, s'il vous plaît. C'est à cause de moi ?

— Bien sûr que non.

— Alors, c'est quoi ? insista Cate nerveusement. Vous pensez à votre mère ?

— Vous voulez la vérité, Cate ?

Les yeux verts étaient un lac de compréhension.

— Je pense à elle souvent. On pourrait croire qu'au fil des ans j'y penserais de moins en moins, mais c'est faux. Ni l'un ni l'autre de mes parents n'ont déserté ma mémoire. Je les porte en moi, ils peuplent mes rêves. Et, étrangement, ce sont des rêves heureux, qui évoquent le temps où ma mère nous aimait, mon père et moi.

— Vous n'avez jamais cherché à la retrouver ?

— Elle ne veut sûrement pas qu'on la retrouve. Sinon, elle nous aurait contactés. La vérité, c'est qu'elle nous a rayés de sa vie.

Cate hocha la tête, l'air rêveur.

— Pourtant, elle paraît si rayonnante sur son portrait, dit-elle. Son visage respire l'amour.

— Un amour qui n'a pas duré. Du moins en ce qui nous concerne.

— Je compatis. Je sais ce que c'est que d'attendre désespérément un signe de sa mère. Ce terrible matin — notre dernier matin ensemble —, j'ai embrassé maman pour lui dire au revoir. Un baiser rapide, je le regrette aujourd'hui. J'étais en retard. On avait une répétition pour la fête de l'école. On jouait *Roméo et Juliette*, j'étais Juliette. C'était très excitant, j'adorais jouer la comédie. Quand la mère de ma camarade m'a déposée à la maison à la fin de l'après-midi, maman n'était pas là. J'ai téléphoné partout, à toutes ses amies. Une de nos voisines m'a dit qu'elle l'avait vue quelques heures auparavant sortir avec notre chien pour faire une marche en forêt. J'ai pris ma bicyclette, j'ai cherché jusqu'à la nuit tombée. Il n'y avait aucune trace d'elle ni de Blaze. Lorsque mon beau-père est arrivé, il a alerté la police. Je n'ai plus jamais revu maman depuis. C'est pire que si l'on m'avait appris qu'elle était morte. Mon beau-père est un monstre, je le hais.

La jeune femme avait parlé d'un trait, avec véhémence. Sans doute avait-elle encore des choses à dire, songea Jude. Combien de temps devrait-il attendre pour qu'elle lui confie toute la vérité ? Il n'en avait aucune idée.

Que faisait-elle ici, exactement ?

Cate se posait la question tout en défaisant son léger bagage dans la ravissante chambre jaune et bleue que Jude avait mise à sa disposition. C'était la seconde nuit qu'elle allait passer sous le toit de cet homme qu'elle connaissait à peine. Pourtant, elle ne le considérait pas comme un total étranger. Jimmy lui avait souvent parlé des Conroy père et fils. D'après la description qu'il avait faite de Jude, elle l'avait reconnu dès le moment où elle avait posé les yeux sur lui.

Il était plus que séduisant, il émanait de sa personne un magnétisme auquel elle avait du mal à résister. C'est pour cela qu'elle avait hésité à accepter son invitation. En fait, elle avait peur d'elle-même. Elle avait conscience qu'il suffirait à Jude de lever le petit doigt pour qu'elle le suive à l'autre bout du monde.

Elle n'avait pas manqué de prétendants. Elle avait reçu au cours de ses pérégrinations une douzaine de demandes en mariage sinon plus. De la part de garçons charmants, virils, affectueux. Hélas, psychologiquement parlant, elle était encore sous l'emprise de la colère, de la haine, du chagrin. A vingt-deux ans — presque vingt-trois —, elle se sentait encore incapable de se débarrasser du fardeau de son drame familial.

Avec Jude Conroy, elle réagissait d'une manière différente. Il se passait entre eux quelque chose de très fort qui allait s'amplifiant à une vitesse inimaginable. Cela s'expliquait par l'attirance physique évidente qu'ils éprouvaient l'un pour l'autre, mais aussi par la similitude de ce qu'ils avaient vécu au cours de leur enfance. Une enfance brisée dont ni elle ni lui n'étaient guéris. Il n'y avait qu'à écouter Jude pour sentir que sous la façade du brillant avocat se cachait un petit garçon blessé.

Y avait-il une femme dans sa vie ? Probablement. Un homme aussi séduisant ne rentrait pas le soir pour trouver un appartement vide ! Cependant, il ne s'agissait sans doute pas d'une relation sérieuse, sinon Jude ne l'aurait pas embrassée aussi passionnément, le soir où elle avait vu la femme en blanc marcher sur la plage. Dire qu'il n'avait pas voulu la croire ! Pourtant, elle l'avait vue.

Un coup frappé à la porte interrompit le cours de ses pensées.

— Oui ? répondit-elle distraitement.

Jude passa la tête par la porte.

— Salut, dit-elle, tentant de sourire alors qu'elle sentait son cœur s'emballer.

— Vous êtes prête ? s'enquit-il.

Ses cheveux blonds irradiés par les rayons du soleil, il traversa la pièce pour la rejoindre.

— J'étais en train de rêver, expliqua-t-elle. J'aime votre maison. Vivre ici doit être un bonheur : se baigner le matin, le soir, dans la crique, s'occuper de votre merveilleux jardin. J'adore les planchers cirés, les tapis orientaux, les meubles d'ébène et de bambou, les porcelaines thaïes et chinoises. J'adore la terrasse.

— C'est justement là que nous allons dîner.

— Parfait.

Jude sourit, elle aussi.

— Puis-je vous poser une question, Jude ?

— Bien sûr. Allez-y.

— Avez-vous une petite amie ?

Jude esquissa une moue d'autodérision.

— Au risque de paraître immodeste, j'ai un succès fou en ce moment.

— Vraiment ? Et auprès de qui ? Au fait, dois-je employer le singulier ou le pluriel ?

— Il y en a surtout une. C'est la fille du principal actionnaire du cabinet d'avocats qui m'emploie.

— Elle travaille avec vous ?

— Grâce à Dieu, non !

Soudain, le poids qui pesait sur la poitrine de Cate s'allégea miraculeusement.

— Vous voulez dire que c'est elle qui vous poursuit ?

— On peut dire cela, en effet. Poppy Gooding n'arrête pas de me piéger dans mon bureau.

— Vous êtes un grand garçon. J'aurais pensé que vous étiez capable de tenir une femme à distance ?

— Ce n'est pas si facile, Cate. J'ai l'impression que son père ne verrait pas d'un mauvais œil que je devienne son gendre. Et je ne tiens pas à perdre mon emploi : j'ai travaillé dur pour arriver au poste que j'occupe actuellement.

— Est-elle belle, au moins ?

Si seulement Jude pouvait lui assurer qu'il s'agissait d'une fille tout à fait ordinaire, songea-t-elle. Mais ce serait trop beau.

La réponse confirma le pire de ses doutes :

— C'est une blonde explosive.

— Quelle chance vous avez !

— Vous trouvez ? En fait, je prie le ciel pour qu'elle jette son dévolu sur quelqu'un d'autre pendant que je suis ailleurs.

— En train d'embrasser des inconnues sur une plage ?

— Tiens, tiens, Cate Costello, dit Jude doucement, seriez-vous jalouse ?

Il leva la main, se mit à jouer avec une de ses mèches et la regarda avec ferveur.

— Si vous voulez le savoir, Cate, le baiser que nous avons partagé n'est comparable à aucun autre, sinon à ceux que nous échangerons encore, je l'espère.

Cate percevait déjà la montée du désir dans son propre corps.

— Qu'attendez-vous de moi exactement, Jude ? demanda-t-elle.

— J'ai envie de passer du temps avec vous. Je veux vous connaître, vous aider si je peux. J'ai l'impression que vous avez souffert d'un manque affectif.

— Je pourrais en dire autant de vous ! Vous m'avez confié certaines choses... Me dites-vous la vérité au sujet de Poppy ? Avez-vous fait l'amour avec elle ?

— J'ai connu des tas de filles, mais jamais je ne me suis senti ensorcelé comme ça jusqu'à ce que je vous rencontre. A votre tour de me parler de votre vie amoureuse, Cate.

Jude lui caressa la joue d'un geste si tendre qu'elle sentit ses jambes se dérober sous elle.

— Je meurs d'envie de vous embrasser, chuchota-t-il. J'ai eu envie de vous embrasser toute la journée.

Avec une ardeur qui trahissait la faim qu'il avait d'elle, il l'enlaça enfin, la serrant à l'étouffer.

Poitrine contre poitrine, ventre contre ventre... Avec volupté elle respira son odeur, mélange enivrant de virilité, de propreté, de bois de santal et de vanille.

Elle laissa échapper un gémissement. Elle tremblait si fort qu'elle éprouva le besoin de s'agripper à son cou, de nouer ses doigts sur sa nuque. Contre le magnétisme de cet homme, elle n'avait aucune armure, aucune protection.

De son côté, Jude perdait tout contrôle.

— Cate, oh, Cate ! gémissait-il contre sa bouche.

Cependant, à son grand regret, il desserra son étreinte au bout de quelques minutes.

— Je suis désolé, dit-il. Auprès de vous, je n'arrive plus à conserver mon sang-froid, je n'ai aucune excuse. C'est de ma faute, c'est moi qui ai insisté pour que vous reveniez ici. Mais je vous demande tout de même de me faire confiance.

Elle renversa la tête en arrière, plongea son regard dans le sien.

— Je vous fais confiance, chuchota-t-elle d'une voix à peine audible.

— C'est tellement incroyable, ce qui m'arrive. C'est comme si j'avais perdu toutes mes défenses. Ne tremblez pas, je vous en prie. Mon Dieu, regardez ce que je vous ai fait.

Sans détourner les yeux, elle affirma :

— Vous ne m'avez rien fait de mal, Jude. Ce baiser, je le désirais. Je suis juste un peu bouleversée. Cela faisait longtemps qu'on ne m'avait pas embrassée. Et de cette manière !

— Je n'arrive pas à le croire. Vous êtes si belle ! Vous devez avoir tous les hommes à vos pieds.

— C'est vrai. C'est moi qui ne veux pas. Je n'aime pas les hommes.

Jude fronça les sourcils.

— Est-ce en rapport avec ce que vous éprouvez envers votre beau-père ? demanda-t-il.

— Ne parlons pas de lui, je vous en prie.

Elle luttait pour ne pas éclater en sanglots. Les moments qu'elle venait de vivre lui avaient apporté suffisamment d'émotions.

Surtout, plus de paroles, plus de baisers, plus de larmes, plus d'explications... Elle aspirait seulement au silence, à la paix.

— Si on allait faire un tour à la plage ? proposa-t-elle en s'arrachant des bras de Jude.

— Comme vous voulez, répondit-il d'une voix un peu étranglée.

En cette seconde, il comprenait qu'il n'était pas en mesure de résister de quelque manière que ce fût à cette femme aux yeux trop verts. Et c'était lui, Jude Conroy, jusqu'ici doté d'un équilibre psychique parfait, qui avait promis de veiller sur elle !

8.

C'était samedi. Des nuages lourds amoncelés au-dessus de la mer laissaient présager une de ces tempêtes tropicales spectaculaires fréquentes dans la région. Jude se mit à rentrer les tables et les chaises de jardin éparpillées sur la terrasse.

Cate avait passé une seconde nuit sous son toit, puis elle avait insisté pour retourner chez elle. Il la voyait chaque jour brièvement, comme il voyait la famille Rogan. Quelques jours s'étaient succédé sans que ses recherches au sujet de Lester Rogan n'apportent quoi que ce soit de nouveau.

Myra ignorait pratiquement tout du passé de son défunt mari. Elle ne se souvenait pas de l'avoir entendu évoquer l'Irlande — sauf une fois, lorsque la mort d'un célèbre cheval de course à Dublin l'avait bouleversé. A part cela, elle ne se rappelait rien. Aussi s'était-il décidé à s'adresser à un détective privé, un ancien agent des services secrets.

La tâche avait été plus aisée pour retrouver les traces de Dermot Costello : il était parvenu à reconstituer lui-même son parcours depuis son arrivée en Australie où il s'était établi en tant qu'architecte jusqu'à devenir professeur d'université. Une carrière brillante, tragiquement interrompue par un accident de voiture. L'investigation au sujet du cas Lundberg s'était révélée encore plus facile. Il suffisait de lire les journaux de l'époque :

tous relataient la disparition de Mme Lundberg. Cependant, le mystère autour de cette affaire demeurait entier.

Rien pour l'instant ne permettait de voir un lien quelconque entre les parents de Cate et Rogan. Encore moins entre ce dernier et le beau-père de Cate, un homme riche et influent qui, une fois l'enquête terminée, avait repris ses fonctions d'universitaire. Jude avait appris aussi qu'il y avait eu une première Mme Lundberg, morte d'une affection cardiaque après quelques années de mariage, fait que Cate n'avait pas mentionné.

Ainsi, Lundberg avait perdu deux femmes. Deux drames lourds à assumer par un seul homme.

A moins que... Les soupçons de Cate étaient-ils fondés ? De respectables notables se montraient capables de détruire des vies. Pouvoir et cruauté allaient parfois de pair. Jude en arrivait à croire que Cate avait elle-même subi des sévices de la part de Lundberg. Des sévices sexuels, peut-être, ce qui expliquerait le dégoût que cet homme lui inspirait.

Ralph n'avait fait aucune autre tentative pour l'approcher, mais Jude savait qu'il attendait son heure. Jimmy lui avait appris que l'aîné des enfants Rogan cherchait dans l'entourage de son père des indices qui auraient attesté une brusque diminution de ses facultés mentales : radotages, mauvaises transactions et autres signes de démence sénile.

« Il essaie de prouver que son père était devenu gaga », avait conclu Jimmy.

Là résidait justement la question. Lester Rogan jouissait-il de tout son bon sens quand il avait rédigé son testament, deux ans avant sa mort ? Bien que Jude eût examiné chaque bout de papier relatif au défunt et à ses affaires, il se demandait s'il n'existait pas, quelque part, un dossier caché intentionnellement pour une raison mystérieuse. Cate lui avait proposé son aide pour un examen en règle des archives paternelles.

Elle arriva au milieu de la matinée, alors qu'il poursuivait ses investigations.

Jude accueillit la jeune femme sous le porche par un chaste baiser sur la joue — seul luxe qu'il s'offrait de crainte de l'effaroucher.

— Je crois que nous allons avoir un bel orage, remarqua-t-elle.

Il contempla le ciel, bleu au-dessus de la maison, menaçant au-dessus de l'océan.

— Je le crois aussi.

— Vous avez du nouveau ?

— Pas grand-chose, hélas.

Cate le suivit à l'intérieur de la maison.

— Et si Rogan n'était pas son vrai nom ? suggéra-t-elle.

— C'est possible. La question est : pourquoi aurait-il pris un nom d'emprunt ? Je vous sers une boisson fraîche ? J'ai de la citronnade maison.

— Avec plaisir, merci. Par où commençons-nous ?

Sa tête auréolée de cuivre légèrement inclinée sur le côté, la jeune femme le fixait avec attention.

— Qu'en pensez-vous ? demanda-t-il. A votre avis, où mon père aurait-il pu cacher un document qu'il ne souhaitait pas voir tomber entre des mains étrangères ?

— Dans la bibliothèque du bureau ? C'est ce qui me vient en premier à l'esprit. Papa avait l'habitude de glisser des coupures de journaux ou des bouts de papier contenant des informations parmi ses livres.

Jude considéra cette éventualité pendant un moment.

— Je n'ai jamais vu mon père faire cela, déclara-t-il, dubitatif. Il était strictement méthodique. Mais nous pouvons toujours essayer.

Il conduisit la jeune femme jusqu'au bureau. Elle balaya du regard les murs tapissés de volumes.

— Votre père devait être un homme très érudit, constata-t-elle.

— Il l'était, effectivement. Mais surtout, c'était un homme extrêmement généreux. Je suis convaincu qu'il ne vous aurait jamais laissée avec un énorme problème à régler.

Comme il la fixait intensément, Cate détourna la tête.

— Sans doute ne s'attendait-il pas à mourir si tôt, Jude. Pas plus que mon père, d'ailleurs. Il se rendait à une réunion en compagnie d'un collègue quand ils ont été tués. Votre père a certainement posé des questions à Lester Rogan à mon sujet. Il a dû lui demander qui j'étais. Dans la mesure, naturellement, où il pouvait se le permettre.

— Rogan lui accordait toute sa confiance. On ne peut pas dire qu'ils étaient vraiment amis, mais ils allaient pêcher ensemble de temps en temps. Bon, si on commençait, maintenant ?

Cate choisit une des extrémité des étagères qui couvraient les murs du plancher au plafond. Jude commença à inventorier l'autre extrémité.

Deux heures s'étaient écoulées, et ils n'avaient rien déniché.

— Je vais faire du café, annonça Jude.

— Excellente idée, approuva Cate.

Elle avait un peu mal au dos, mais elle était résolue à continuer coûte que coûte. Elle saisit un volume relié de cuir relatant les voyages de Matthew Flinders et vérifia si un papier quelconque ne se trouvait pas entre les pages.

A l'autre bout de la pièce, une douzaine de dossiers tombèrent sur le plancher. Le bruit de leur chute la fit sursauter. Probablement avaient-ils été mal replacés par Jude tout à l'heure. Immédiatement, elle alla les ramasser. Au moment où elle s'apprêtait à les reposer sur l'étagère, elle vit, adhérant au mur, quelque chose ressemblant à des coupures de presse.

Elle détacha les morceaux de papier amalgamés en paquet comme s'il s'était agi d'un message qui lui aurait été spécialement destiné.

— Jude, regardez !

Jude reposa la cafetière qu'il tenait à la main sur le comptoir de la cuisine et prit les coupures de journaux qu'elle lui tendait. Après les avoir parcourues, il la considéra d'un air profondément troublé.

— Qu'est-ce que cela veut dire ? demanda-t-il.

Elle porta la main à ses lèvres tremblantes.

— Cela veut dire que votre père était au courant de la disparition de ma mère, répondit-elle. Il conservait les coupures de presse qui en parlaient.

— Mais qu'est-ce que cela prouve, Cate ? rétorqua Jude. Mon père s'intéressait à toutes sortes de choses. La disparition de votre mère a été évoquée à l'échelon national.

— Pensez-vous qu'il ait pu la connaître ?

Il haussa les épaules, déglutit avec peine.

— Je ne vois pas comment. En fait, je n'ai aucune explication à donner. Mon père n'aurait pas fait de mal à une mouche.

— Peut-être. Il n'empêche qu'il travaillait pour un homme que tout le monde ou presque haïssait. Lester Rogan. Se pourrait-il que Rogan ait connu ma mère ?

Jude paraissait sérieusement secoué.

— A moins qu'il n'ait connu Lundberg ? Mais je n'arrive pas à imaginer quelle relation il aurait pu avoir avec votre beau-père.

— Retournons dans le bureau, proposa Cate. On trouvera peut-être encore quelque chose.

Jude la suivit, oubliant le café.

— Où les avez-vous trouvées ?

Elle désigna l'endroit.

— Là-bas. Des dossiers sont tombés. Les coupures étaient derrière, pratiquement collées au mur.

— Je vois. On va déplacer tous les dossiers un par un.

Trente minutes plus tard, Jimmy les trouva encore en train d'inspecter les étagères.

— Qu'est-ce qui se passe ici ? s'enquit-il, étonné.

Ni l'un ni l'autre ne répondit immédiatement.

— Nous essayons de trouver des documents écrits susceptibles de mettre en évidence la relation entre Rogan et Cate, déclara finalement Jude. Tu peux nous aider, Jimmy.

Il n'avait pas mentionné les coupures de journaux. Cate lui en sut gré, car à part lui elle n'avait mis personne au courant de l'histoire tragique de sa mère.

— Très bien, dit Jimmy. Mais avant, j'ai quelque chose à te donner, Jude. Un petit cadeau. Je l'ai laissé dans le hall. Attends une minute, je vais le chercher.

Il s'éclipsa et revint peu après, tenant un paquet plat ficelé dans du papier bulle.

— Je ne sais plus depuis combien de temps j'ai ça à la maison, mais ça te revient de droit. Eh bien, ouvre-le, mon gars ! La recherche peut attendre une minute, non ?

Jude déballa son cadeau : une photographie encadrée qu'il regarda avec émotion.

— Merci, Jimmy, ton geste me touche infiniment.

— J'en suis heureux, affirma le vieil homme tranquillement. Tu trouveras bien une place pour l'accrocher. Ici, peut-être ?

Il désignait une partie du mur où d'autres photographies encadrées étaient suspendues.

— Je m'en occupe tout de suite, dit Jude. Je vais chercher le marteau et un crochet. Tu n'as qu'à aider Cate pendant ce temps.

— Puis-je la regarder ? demanda-t-elle après que Jude eut quitté la pièce.

— Naturellement, mon petit. C'est juste une photo de ce bon vieux Matty et de ses copains à bord du *Calypso*. On voit aussi

Lester, un autre type, son ami, et un Américain, une vedette de cinéma qui adorait pêcher dans les eaux du Reef. Il se joignait à nous chaque fois qu'il passait dans la région… C'était le bon vieux temps ! soupira-t-il en lui remettant la photographie.

Elle regarda le groupe de pêcheurs rassemblés sur le pont du bateau et brusquement se sentit devenir livide. Vite, elle posa le cadre sur la table comme s'il lui avait brûlé les doigts avant de se laisser tomber dans un fauteuil.

— Oooh, Jimmy !

— Caty ? Ça ne va pas ? s'alarma le vieil homme.

Elle ne répondit pas.

Jude venait de rentrer dans la pièce, il se précipita vers elle, s'agenouillant à son côté.

— Vous êtes allée au bout de vos forces, c'est cela ? s'inquiéta-t-il. Jimmy, va chercher un verre d'eau.

— Non, ce n'est pas la peine, je ne pourrais rien avaler, protesta Cate. Je ne suis pas malade. C'est seulement que…

Elle ferma les paupières l'espace d'une seconde pour rassembler ses forces.

— L'homme sur la photographie, expliqua-t-elle, celui qui est à côté de Lester Rogan, c'est… c'est mon père.

Jude eut un haut-le-corps.

— Ainsi, nous tenons le maillon qui nous manquait, murmura-t-il sans la quitter du regard.

— Vous êtes sûre, mon petit ? demanda Jimmy.

Il alla reprendre le cadre pour réexaminer la photographie.

— Absolument sûre.

Le vieil homme aspira bruyamment.

— Votre papa, comment s'appelait-il ? Je n'ai jamais connu de Costello. Quel était son prénom ? Probablement qu'entre nous, on s'appelait seulement par nos petits noms.

— Dermot, répondit-elle.

Jimmy prit le temps de réfléchir avant de déclarer :

— Ça ne me dit rien. Attendez, attendez… Derry. Je me souviens d'un Derry. Lester se conduisait avec lui comme s'il l'avait connu toute sa vie. C'était étonnant, parce que ce Derry était quelqu'un de distingué. Il venait de la haute société, ça se voyait, alors que Lester n'avait aucune classe. Pourtant, ils étaient amis. Oui, oui, je me souviens, il s'appelait Derry. Je ne l'ai vu qu'une fois, il n'est plus jamais revenu.

Jude qui était resté agenouillé près d'elle se releva.

— Vous vous sentez un peu mieux, Cate ? dit-il en la considérant avec inquiétude.

Elle hocha la tête.

— Les chocs se succèdent un peu trop rapidement, n'est-ce pas ? poursuivit-il. Mais, maintenant, nous tenons un fil conducteur. La réponse aux questions que nous nous posons se trouve en Irlande. Dans le passé de la famille de votre père, Cate.

Elle lutta pour recouvrer ses esprits.

— Je ne connais pas la famille de mon père, Jude. Comment leur parler, alors que papa avait rompu tout lien avec eux ? Il a quitté son pays, il est parti à l'autre bout du monde. Sans doute parce qu'il ne pouvait plus vivre dans le sien. Jimmy a dit que Lester Rogan donnait l'impression d'avoir connu mon père toute sa vie. Cela signifie qu'ils avaient vécu tous les deux dans la même ville ou dans la même région.

— Ils étaient aussi différents l'un de l'autre que le jour et la nuit, affirma le vieil homme lentement, mesurant ses paroles. Votre père semblait être sorti de la haute société. Lester manquait de distinction, c'est le moins qu'on puisse dire. D'ailleurs, regardez sur la photo, ça saute aux yeux tout de suite.

Du bout de l'index, il tapota le verre du cadre et ajouta :

— Pourtant, d'une manière ou d'une autre, ils étaient liés. Vous ne trouvez pas bizarre que j'aie apporté cette photo justement aujourd'hui ? Elle était accrochée chez moi depuis trente ans.

— Je me demande si les souvenirs de Myra peuvent remonter jusque-là, murmura Jude, pensif.

Jimmy hocha la tête.

— La pauvre Myra a déjà de la peine à se rappeler ce qui s'est passé hier. Et puis, ils n'étaient pas mariés, à l'époque. A moins qu'elle se souvienne quand même de quelque chose. Votre papa n'a pas dû assister à leur mariage, Cate. Gwennie y était, et elle se serait souvenu du nom, Costello. Croyez-moi, mon petit, Gwennie n'oublie jamais rien.

Les yeux de Cate cherchèrent ceux de Jude.

Tout cela ne présageait rien de bon.

9.

Il était 5 heures et demie lorsque les premiers signes de la tempête se manifestèrent.

Jimmy était parti une heure plus tôt pour y échapper, quand il avait vu les énormes cumulus gris argent avancer sur la mer telle une armée, et les oiseaux aux plumages éclatants chercher refuge dans les manguiers du parc. Depuis, Jude avait bouclé la voiture de Cate dans le garage et, avec l'aide de la jeune femme, il avait fermé tous les volets de la maison sauf ceux des fenêtres donnant sur la terrasse.

— L'auvent offre une protection suffisante, lui expliqua-t-il. Et d'ici, nous pourrons profiter du spectacle. Mais il faut se tenir assez loin des fenêtres et des portes.

Ils attendaient maintenant debout côte à côte, les yeux fixés sur le ciel. Une rafale de vent secoua la maison.

Cate porta la main à sa gorge.

— C'est un orage électrique, la rassura Jude. C'est impressionnant, mais ça ne dure pas longtemps.

— Je ne voudrais pas être sur un bateau en ce moment, dit-elle étourdiment.

Puis, se rappelant aussitôt que le père de Jude avait péri en mer, elle s'excusa :

— Je suis désolée, Jude. J'avais oublié…

— Papa est mort en pratiquant une activité qu'il adorait. Il n'avait pas peur des tempêtes, mais il éprouvait un profond respect pour l'océan. Je l'accompagnais souvent sur le *Calypso*. Jimmy aussi. Il aurait pu mourir aussi s'il avait été avec mon père ce jour-là.

— Question de chance… ou de hasard, murmura la jeune femme. On ne saura jamais pourquoi Jimmy a choisi de vous remettre son cadeau justement aujourd'hui. S'il ne vous avait pas donné cette photographie, nous n'aurions jamais appris que mon père était venu ici et qu'il avait rencontré le vôtre. Cela ressemble à un rêve.

— Mais c'est bien réel, fit remarquer Jude. Nous approchons de la vérité. La clé de l'histoire se trouve dans le passé de Rogan. Jusqu'à présent, nous nous sommes focalisés sur la mystérieuse disparition de votre mère, mais peut-être n'y a-t-il aucun lien entre ce tragique événement et le fait que Rogan vous a légué la majeure partie de sa fortune.

— Je prie pour qu'un jour la vérité éclate.

— Je le souhaite aussi, Cate, affirma Jude avec gravité.

Pour la première fois, l'idée lui vint qu'il devrait faire quelque chose pour retrouver sa propre mère.

Un éclair zébra le ciel, suivi d'un grondement sourd.

La jeune femme frissonna.

— Prenez-moi dans vos bras, s'il vous plaît, dit-elle sans le regarder.

Des vagues de désir montaient en lui, ardentes comme autant de flammèches.

— Cate, vous savez où cela pourrait nous conduire. Vous êtes beaucoup trop belle pour que je sois capable de résister.

— Je voudrais tout oublier, ne serait-ce qu'un petit moment.

— Est-ce la seule raison ?

Devant le silence de la jeune femme, il insista :

— Est-ce la seule raison ?

— Vous savez bien que non, répondit-elle.

Elle posa la tête sur son épaule.

— J'ai confiance en vous, Jude. Je vais vous dire quelque chose dont je n'ai jamais parlé à personne. J'avais l'impression qu'en livrant ce secret, j'aurais mis maman en danger. Un an avant qu'elle ne disparaisse, j'ai dû me protéger du harcèlement sexuel de mon beau-père.

Bien que Jude soupçonnât déjà quelque chose de la sorte, le choc lui coupa le souffle.

— Il ne vous a tout de même pas… ? commença-t-il.

Le mot horrible ne parvint pas à franchir sa bouche.

Cate soupira.

— Non, répondit-elle. Il n'est pas allé jusque-là. Sinon, je l'aurais tué. Une seule fois — maman n'était pas à la maison —, il a réussi à me bloquer dans un coin, à m'embrasser, à toucher mes seins. C'était atroce. J'ai réagi comme un animal sauvage, je lui ai flanqué des coups de pied. Je lui ai dit que je le raconterais à ses collègues de l'université, à Deborah, à tout le monde. Pas une fois je ne l'ai menacé de tout dire à maman.

Jude lui prit la main, s'aperçut qu'elle tremblait, l'embrassa.

— Parce que vous ne vouliez pas la blesser.

— Dès le début, je m'étais demandé ce qui l'attirait chez cet homme. Mais elle devait l'aimer, sinon pourquoi l'aurait-elle épousé ?

— Peut-être parce qu'elle avait besoin d'un compagnon ? D'autant plus qu'elle avait une fille à élever.

Cate cacha son visage dans ses mains.

— C'était de ma faute. Ce monstre m'a dit qu'il s'était marié avec maman à cause de moi, pour m'avoir près de lui. Pouvez-vous imaginer ce que j'ai éprouvé ? C'était de ma faute si ma mère l'avait épousé. De ma faute !

— Vous n'avez pas le droit de dire une chose pareille, Cate. Vous n'êtes en aucun cas responsable de cette situation. Votre beau-père était un malade.

Un nouvel éclair illumina le ciel, plus impressionnant que le précédent.

Instinctivement, Jude serra la jeune femme contre lui.

— Personne dans nos relations n'aurait cru cela, dit-elle. Deborah a peut-être eu quelques soupçons.

— Et votre mère ?

— Non. Sinon, elle serait partie. Finalement, c'est ce qu'elle a fait.

— Elle n'a pas pu le faire délibérément si elle vous aimait.

Cate le regarda, songeuse.

— Vous avez raison, admit-elle.

— En avez-vous parlé à la police ?

— J'avais trop honte. J'aimais maman, je ne voulais pas ternir son nom. Oh, Jude, essayez de comprendre ! J'étais dans la plus grande confusion. Je n'étais qu'une enfant.

— Bien sûr que je comprends. Accepteriez-vous d'en parler à la police, à présent ?

La jeune femme le considéra, la mine grave. Enfin, elle lui toucha la joue.

— A condition que vous soyez à côté de moi, oui, peut-être. Vous savez, Jude, mon beau-père possédait un talent machiavélique pour faire croire aux gens tout ce qu'il avançait. De plus, il était immensément riche. La fortune attire le respect. Cela le rendait invulnérable à ses propres yeux. Dès que maman avait le dos tourné, il pensait pouvoir faire de moi ce qu'il voulait. Il agissait comme si je lui avais appartenu.

— Vous avez tout de même eu le courage de partir.

— Oui. Mais aujourd'hui, je me retrouve dans une autre situation intolérable : je ne veux pas de l'argent de Lester Rogan. En tant qu'avocat, vous savez ce qu'il faudrait faire pour que l'héritage retourne dans sa famille. Je ne souhaite même pas connaître le lien qui existait entre mon père et Lester Rogan. En fait, j'ai toujours pensé que l'intérêt de Lester à mon égard n'était pas normal, même s'il n'était pas d'ordre sexuel.

— Vous n'aviez jamais fait allusion à cela devant moi, Cate, dit Jude d'un ton de reproche.

— Je suis désolée. Mais je suis tellement fatiguée de tout ce qui m'arrive. En venant ici, je pensais avoir laissé le passé derrière moi. Hélas, il m'a suivie.

La jeune femme avait parlé si rapidement et d'une voix si basse que les hurlements du vent couvrirent presque ses paroles.

Une succession d'éclairs illumina le ciel, suivi par des grondements de tonnerre assourdissants. On aurait cru entendre le fracas des bombes lors d'une offensive militaire. Les bourrasques secouaient chaque porte, chaque fenêtre. La pluie commença à tomber.

Jude avait les nerfs à vif. Non pas à cause de la tempête — il avait assisté à ce genre de manifestations météorologiques spectaculaires d'innombrables fois —, mais à cause de la proximité de cette jeune femme trop belle dont l'adolescence avait été massacrée.

Il la sentait frissonner près de lui, fragile. Alors il l'enlaça, la pressa contre lui.

Un coup de tonnerre encore plus violent que les précédents ébranla les volets. Cate sursauta et leva vers lui ses yeux verts emplis de panique.

— C'est tombé tout près, chuchota-t-elle. On croirait la fin du monde.

Cette fois, il ne résista pas à la tentation de l'embrasser. Il inclina la tête. Doucement, doucement, la bouche de la jeune femme s'entrouvrit pour accueillir son baiser. En quelques jours seulement, ils avaient atteint un tel degré d'intimité qu'il avait l'impression de l'avoir attendue toute sa vie.

Elle gémissait, ondulait contre lui tandis que leurs langues exécutaient un ballet lascif. Après un moment, à moins que ce ne fût une éternité, il sentit les jambes de Cate faiblir. Prenant conscience de sa langueur, il la souleva et alla l'allonger sur le canapé. D'une main tremblante, elle déboutonna sa chemise tandis qu'il lisait dans les yeux verts le reflet de son propre désir.

— Laisse-moi te déshabiller à mon tour, chuchota-t-il.

Elle se laissa faire, comme subjuguée par la douceur de ses caresses. Il retira ses vêtements un à un comme il aurait pelé une pêche, lentement, posément, lui donnant le temps d'interrompre le processus si elle l'avait souhaité. Mais Cate, les yeux clos, semblait avoir atteint une zone de non-retour.

Quelque chose d'extraordinaire lui était arrivé, songea Jude. Il était tombé amoureux. Lui, le réfractaire à l'amour !

— Cate ?

Elle rouvrit ses yeux magnifiques où il lut son abandon.

— Je veux t'emmener dans mon lit. Je veux que nous fassions l'amour vraiment. J'ai de quoi nous protéger.

— Tu ne pourras jamais me protéger de toi, murmura-t-elle. Lorsque j'ai décidé de rester ici, je savais ce qui se passerait

Elle lui sourit. Pour Jude, ce sourire plein de confiance était le plus beau des cadeaux.

— Tu es sûre ? demanda-t-il.

— Parfaitement sûre, affirma-t-elle.

Le cœur exultant de bonheur, il la souleva de nouveau et la porta jusqu'à sa chambre.

Au dehors, les éléments continuaient de se déchaîner. Cependant, ni l'un ni l'autre n'y prirent garde. Membres entremêlés, mains nouées, bouches passionnément scellées l'une à l'autre, ils voguaient vers des contrées inexplorées. Merveilleuse croisière, prodigue en sensations voluptueuses, qu'ils auraient souhaité prolonger jusqu'à la fin des temps.

Ils refirent l'amour encore et encore avant de s'endormir épuisés. Ils recommencèrent lorsqu'ils s'éveillèrent, puis ils prirent une douche ensemble, se savonnèrent mutuellement, inventèrent de nouvelles caresses sous l'eau ruisselante.

La tempête s'était apaisée au cours de la nuit. Le soleil jetait des taches blondes sur le parquet ciré, sur le tapis, sur les meubles. La brise marine jouait dans les rideaux des portes-fenêtres.

— Il faut que j'aille à la galerie, annonça Cate en achevant de s'habiller. J'ai du travail, bien que j'imagine mal pouvoir penser à autre chose qu'à toi.

— Je pars aussi, dit Jude.

Il enfila son T-shirt avant de continuer :

— Je dois rencontrer ce bon vieux Ralph pour lui faire mon rapport.

— Oh, Ralph, grommela-t-elle.

Elle jeta un coup d'œil au miroir, rectifia le col de son chemisier, commença à brosser ses cheveux cuivrés.

— Ce que j'ai dit, je le pensais vraiment, Jude. Je ne veux pas de l'argent de Lester Rogan.

Il se tourna vers elle, la considéra longuement, le regard plein de tendresse.

— Je comprends ce que tu ressens, Cate. Mais ne prends aucune décision avant de connaître toute l'histoire. Nous nous obstinons à fouiller les affaires de papa alors que nous devrions peut-être mettre le nez dans celles de Lester. Qui sait s'il n'a pas un coffre-fort caché quelque part ? Je suis sûr que Ralph pourrait nous éclairer là-dessus.

— Je crois que je ne supporterais pas de me trouver de nouveau en face de cet individu, Jude.

Il prit une brosse et la passa dans la broussaille de ses cheveux.

— Laisse-moi m'occuper de ça. A quelle heure fermes-tu la galerie ?

— A 5 heures, répondit Cate en lui souriant, chavirante de beauté dans l'auréole fauve de sa chevelure.

Après leurs étreintes passionnées, il éprouvait une merveilleuse sensation de plénitude. Pourtant, il restait sur la défensive, conscient que la vie se montrait souvent très cruelle. L'expérience lui avait appris que le plus grand des bonheurs pouvait être anéanti du jour au lendemain.

— Je viendrai te chercher, dit-il.

Dès qu'il fut prêt, il alla sortir la voiture de la jeune femme du garage. Il se promettait de faire tout ce qui serait en son pouvoir pour rendre sa vie heureuse.

10.

Le front entre les mains, Ralph considéra attentivement la photographie prise quelque trente années auparavant sur le pont du *Calypso*.

— C'est son père ? demanda-t-il.

— Je viens de te le dire.

Tous deux se trouvaient dans le bureau de Lester. L'aîné des Rogan reporta le regard sur Jude.

— Et ce type et papa paraissaient amis ?

— Plus que cela, Ralph. Jimmy avait l'impression qu'ils se connaissaient depuis toujours. Du moins, depuis très longtemps. Le père de Cate s'appelait Dermot Costello. Il avait émigré d'Irlande au début des années soixante-dix, je l'ai vérifié. J'ai aussi vérifié qu'il avait été architecte avant de devenir professeur d'université. Il a été tué dans un accident de voiture quand Cate avait dix ans. Sa mère s'est remariée. En ce qui concerne ton père, je n'ai rien découvert à son sujet avant qu'il n'arrive dans le North Queensland.

Les yeux de Ralph se posèrent de nouveau sur la photographie.

— Papa était quelqu'un de très secret, reconnut-il. On aurait juré que sa vie avait commencé au moment où il est arrivé ici. Il ne parlait ni de lui ni de sa famille. Il n'a jamais fait allusion au fait qu'il serait né en Irlande. Ce Costello a un physique d'acteur de cinéma.

Un silence, puis il émit un juron.

— En tout cas, poursuivit-il, ils n'étaient pas unis par les liens du sang. Regarde mon père ! J'ai l'impression de me voir.

Jude opina de la tête.

— Je suis en train de fouiller dans les dossiers de mon père, dit-il. Cela représente un travail énorme. Je n'ai pas encore terminé. Mais les papiers que gardait ton père, tu les as étudiés ? Je suppose que tu as contrôlé ce qu'il y avait dans son coffre-fort.

Ralph renifla.

— Pour ouvrir son coffre, il aurait fallu que j'en connaisse la combinaison.

Surpris, Jude s'exclama :

— Tu ne la connais pas ?

— Tu n'imagines tout de même pas que papa me l'aurait donnée !

— Mais il a dû en parler à quelqu'un. Il savait qu'un jour ou l'autre il mourrait. Ta mère ne la connaît pas ?

— Tu crois que je ne lui ai pas demandé ? grommela Ralph. A l'instant où je te parle, je suis prêt à faire appel à un type qui fait sauter les coffres.

— Il n'a pas laissé la combinaison dans un des tiroirs de ce bureau ?

— J'ai cherché partout. Le seul endroit où il a pu la cacher, c'est dans sa tête.

— Et si on essayait quelque chose ?

Sur ces mots, Jude se leva de son fauteuil, les yeux fixés sur le tableau accroché au mur derrière lequel — il le savait — se trouvait le coffre-fort.

— Et tu t'imagines qu'on va réussir comme par un coup de baguette magique ?

— Il n'est pas rare que les gens utilisent des chiffres qui ont une signification pour eux. Dates de naissance, chiffres porte-bonheur…

— Tu peux y passer ta vie, mon vieux ! railla Ralph.

La recherche, en fait, dura moins de dix minutes.

Après avoir essayé en vain un certain nombre de chiffres, Jude retourna au massif bureau de Lester. Là, il découvrit la combinaison soigneusement collée au fond d'un tiroir.

— Bon sang ! s'exclama Ralph. Pourquoi n'y ai-je pas pensé ?

Jude haussa les épaules.

— Manque d'imagination, ironisa-t-il.

Il ouvrit le coffre.

Sans perdre une seconde, Ralph plongea la main dedans.

Cate finissait d'emballer une géode d'améthyste qu'un couple de touristes asiatiques venait d'acheter lorsqu'une blonde éblouissante entra dans la galerie.

Vêtue d'un caraco léopard dans les tons chocolat bordé de dentelle et d'un pantalon ultra-moulant ivoire, la nouvelle venue ne passait pas inaperçue.

Cate lui sourit.

— Dans une minute, je suis à vous.

— Je vais en profiter pour regarder, déclara la blonde.

Elle commença à faire le tour du magasin, perchée sur ses talons de six centimètres.

Quelques instants plus tard, les clients asiatiques ayant quitté la boutique ravis de leur acquisition, Cate s'approcha de la jeune femme au physique aguicheur qui tenait à la main une obsidienne arc-en ciel.

— Cherchez-vous quelque chose de particulier ? s'enquit-elle. Cette pierre est censée apporter satisfaction et joie dans la vie.

La blonde se tourna vers elle.

— Vous ne croyez tout de même pas à ces balivernes ?

Cate préféra ignorer la remarque.

— De tous temps, on a révéré les cristaux, rappela-t-elle d'un ton aimable. On en a trouvé dans les anciennes sépultures d'Egypte, de Babylone, de Chine. Les Mayas, les Aztèques, les Celtes, les Amérindiens, les Africains utilisaient les trésors de la terre dans leurs cérémonies religieuses. Aujourd'hui encore, beaucoup de gens…

— Je vous en prie, épargnez-moi vos cours d'histoire.

La somptueuse blonde reposa le minéral sur l'étagère.

— Vous êtes Cate Costello, n'est-ce pas ? poursuivit-elle en détaillant Cate de la tête aux pieds.

— C'est exact.

La visite de cette femme ne concernait pas les cristaux…

— Poppy Gooding, annonça la blonde. La petite amie de Jude. Mon petit doigt m'a dit que vous avez passé pas mal de temps ensemble, ces jours derniers.

Malgré le choc de la surprise, Cate parvint à conserver son sang-froid.

— Et que vous a encore dit votre petit doigt ? rétorqua-t-elle.

Poppy arqua un sourcil soigneusement souligné au pinceau.

— Vous tenez vraiment à le savoir ? J'espère que Jude n'a pas couché avec vous, parce que sa loyauté m'est très importante. Nous allons nous marier, vous comprenez.

— Bien sûr. Vous aurez beaucoup d'enfants et vous vivrez heureux jusqu'à la fin des temps, ironisa Cate.

Sa réponse sarcastique parut déstabiliser la visiteuse.

— Je ne plaisante pas, affirma-t-elle d'une voix indignée. Je parle sérieusement. Je suis venue ici pour vous dire de laisser mon fiancé tranquille.

Cate jeta un regard par-dessus les épaules lisses et bronzées de Poppy Gooding.

— Vous n'avez qu'à délivrer vous-même le message à Jude, conseilla-t-elle. Justement, il arrive.

— Formidable ! Je vais le voir tout de suite.

Déjà, Poppy se ruait comme une furie vers la sortie, vacillant sur ses hauts talons.

— Jude ! hurla-t-elle.

Debout derrière son comptoir, Cate la vit se précipiter sur Jude tel un crocodile surgi d'un lagon tropical, enlacer son « fiancé » et l'embrasser passionnément pendant d'interminables secondes, avant de rejeter sa tête blonde en arrière, la face irradiée de joie.

— Quelle idiote je fais, murmura Cate.

Avait-elle oublié que les hommes étaient nés menteurs ? Qu'ils disparaissent de ses yeux tous les deux, Jude et sa blonde explosive ! songea-t-elle, le cœur brisé. Qu'ils aillent étaler ailleurs leur bonheur insolent. Mais la raison lui rappela aussitôt que c'était à elle de partir, comme toujours. Devrait-elle s'exiler en Nouvelle-Zélande ? Non, il fallait qu'elle fuie plus loin. Les îles Fidji, au moins.

Jude, gémit-elle intérieurement. Ce matin encore, elle le considérait comme la réponse à ses prières, celui qui lui était destiné de tous temps. Sottises ! Qu'il aille au diable avec l'héritage de Lester Rogan. D'ailleurs, cet argent, ils pouvaient le donner à une maison de retraite pour chats !

L'espace d'un instant, la tentation lui vint d'aller dire au traître ce qu'elle pensait de lui. Elle y renonça par fierté. Lentement, elle quitta son poste d'observation, prit au passage la pancarte « fermé », la suspendit à la porte vitrée, puis se réfugia dans l'arrière-boutique, l'âme déchirée par le chagrin.

De l'extérieur, Jude avait remarqué la pancarte. Il avait juste eu le temps d'apercevoir le visage de Cate dont l'expression l'avait glacé.

Il se tourna vers Poppy.

— Qu'avez-vous dit à Cate ? demanda-t-il.

Poppy se mit à rire.

— Je lui ai dit que j'étais la femme avec laquelle vous alliez vous marier. Parce que nous allons nous marier, n'est-ce pas, mon chéri ?

— Ne soyez pas ridicule ! répondit-il, excédé. Ne serait-il pas temps que vous preniez conscience d'une chose : vous ne pouvez pas avoir tout ce que vous voulez, Poppy. En particulier, ma tête sur un plateau. Le mariage est une affaire sérieuse, pas un jeu.

Elle élargit ses yeux sombres.

— Et alors ? Vous pensez que je ne prends pas notre relation assez au sérieux ? J'ai fait ce voyage uniquement pour être avec vous. Cela ne vous suffit pas ?

— Qui vous a dit que j'étais ici ?

— Jude, mon chéri, c'est facile de trouver n'importe qui et n'importe quoi quand on le souhaite vraiment. J'ai même découvert l'existence de votre rousse aux yeux verts. Mais je vous pardonne. Vous vous ennuyiez, sans doute.

— Ecoutez, Poppy, je suis follement, profondément, irrémédiablement amoureux d'elle, déclara Jude dont le regard luisait d'un éclat féroce.

Sa compagne perdit tout à coup sa belle assurance.

— Amoureux d'elle ? répéta-t-elle d'une petite voix. Mais... elle est laide. Elle n'a pas de seins. Je déteste ses cheveux. D'ailleurs, elle doit les teindre.

— Même si cela était, je m'en moquerais. La couleur des vôtres est artificielle, bien que magnifique. Cate est belle, Poppy. Parfaite. Quant à vous, vous vous trompez en vous imaginant que vous m'aimez. Vous ne me connaissez même pas.

— Bien sûr que si.

Blême de rage, Poppy approcha son corps voluptueux de lui dans une dernière tentative de séduction.

— Vous m'avez donné de faux espoirs, Jude. Vous m'avez laissé croire que vous m'épouseriez. Papa voyait ce mariage d'un œil favorable. Vous imaginez sa réaction quand je lui apprendrai que vous m'avez plaquée ?

— Pourquoi ne pas accepter la vérité, Poppy ? Il ne s'agissait que d'une toquade de votre part, reconnaissez-le.

Elle leva la tête, l'air dédaigneux.

— Vous ne vous en tirerez pas aussi facilement que cela. Personne, absolument personne ne me laisse tomber.

— Je connais pourtant deux ou trois garçons qui l'ont fait. Essayez toujours de me faire porter la responsabilité de la situation aux yeux de votre père, Poppy.

Tournant les talons, il ajouta :

— De toute façon, j'envisage de quitter le cabinet.

— Sans références, cria la jeune femme tandis qu'il s'éloignait.

Il s'arrêta, se retourna.

— Cela ne servirait pas votre réputation, rétorqua-t-il sèchement. Songez que je pourrais porter plainte pour harcèlement sexuel sur mon lieu de travail.

— Répétez ce que vous venez de dire.

— Vous m'avez très bien entendu. Réfléchissez à la question. Demandez conseil à qui vous voudrez. Honnêtement, vous feriez mieux de raconter à tout le monde que c'est vous qui m'avez laissé tomber.

Après avoir frappé à la porte de derrière de la galerie, appelé, téléphoné sur le portable de Cate et laissé plusieurs messages sans qu'elle réagisse, Jude fit une nouvelle tentative par répondeur interposé, usant du dernier argument qui lui restait :

— J'ai apporté un document important concernant ton père. Je vais le glisser sous la porte, mais je crains d'actionner le système d'alarme. S'il te plaît, Cate, ouvre-moi.

Il ne fallut pas plus d'une minute à la jeune femme pour obtempérer et sortir de la chambre dans laquelle elle cachait son désespoir.

— Comment oses-tu venir chez moi après ce que tu m'as fait ? s'écria-t-elle, ses yeux verts étincelants de colère braqués sur lui. Elle est venue me narguer ici, chez moi, fagotée comme une chanteuse de rock. Tu as vu ses vêtements qui la boudinaient ? Et ses talons ? Elle m'a dit que vous alliez vous marier.

— Et tu l'as crue, Cate ? demanda Jude. Ne t'ai-je pas déjà parlé de cette fille ? De la manière dont elle me harcelait ? Je sais que ta vie a été un enfer, mais si nous devons partager un avenir, il faut que tu m'accordes un peu de ta confiance.

— Quelle femme serait assez folle pour te faire confiance ? se récria-t-elle d'un ton écœuré.

— D'accord. Personne ne t'oblige à me supporter une minute de plus qu'il n'est nécessaire. Tu as de gros problèmes, Cate, et je ne sais pas si tu es capable de les résoudre seule. Par ailleurs, de mon côté, pourquoi t'accorderais-je ma confiance ? Mais avant de décider si nous poursuivons le chemin ensemble, regarde cette lettre…

Jude posa sur la table basse plusieurs feuillets qu'il avait sortis de son porte-documents.

— On l'a trouvée dans le coffre-fort de Lester Rogan. Celui-ci y confesse avoir volé un collier de diamants de grande valeur appartenant à la grand-mère de ton père, lady Elizabeth Costello, il y a plus de trente ans. On attribua le vol à ton père. C'était le cadet des enfants et il devait avoir des soucis financiers à l'époque.

Rien de sérieux, toutefois, la sorte de dette que les étudiants contractent quand ils ont un père fortuné.

Tandis qu'il parlait en tâchant de contenir sa colère, Cate s'était laissée tomber dans un fauteuil.

— Rogan a des liens de parenté avec toi, je le crains, continua-t-il. C'est le demi-frère de ton père. Un enfant illégitime, comme on disait autrefois. Ton grand-père a préféré épouser une femme de son rang. La mère de Rogan vivait et travaillait dans une petite ferme qui appartenait aux Costello. Ils en possédaient plusieurs. Lester n'a parlé du larcin à personne, bien sûr. Il a gardé le bijou pour lui, pensant sans doute que ta famille le lui devait, ce qui, à mon avis, n'était pas tout à fait faux. Quand ton père couvert de honte a émigré en Australie, Rogan l'a suivi. Comme le collier volé était une pièce de joaillerie connue, il l'a démonté pour pouvoir disposer des pierres.

Jude marqua une pause. Cate était comme pétrifiée. Comme son visage ne trahissait aucune émotion, il poursuivit.

— Les deux demi-frères sont restés en relation jusqu'à la mort de ton père. Lester savait tout de toi, il était au courant de la disparition de ta mère. Vers la fin de sa vie, il a décidé de réparer la terrible injustice dont ton père avait été victime par sa faute. Tout est écrit ici, Cate. Dans le moindre détail. Je pense qu'il avait de l'affection pour ton père. Contrairement aux autres membres de la famille, celui-ci n'avait jamais renié le lien de parenté qui les unissait. Il le traitait toujours comme un frère.

Il regarda Cate encore un long moment sans qu'elle réagît.

— Je te laisse, maintenant, conclut-il. Lis ce document très attentivement et prends ta décision. Personnellement, je pense que vous méritez réparation, toi et la mémoire de ton père. Rogan a établi son immense fortune sur la base des diamants du collier qu'il avait subtilisé. Il a voulu que cette histoire se sache.

Après le départ de Jude, Cate demeura inerte, habitée par une impression d'irréalité. Sa vie durant, les autres s'étaient joués d'elle. Tous avaient leurs secrets.

Si son père avait reconnu Lester Rogan comme un demi-frère, pourquoi ne l'avait-il pas présenté à sa famille ? En avait-il eu honte à partir du moment où il avait occupé une place de notable dans la société ? Elle ne le saurait jamais. Quant à Lester lui-même, n'aurait-il pas pu faire état de leur lien de parenté ? A l'évidence, non. Pour une raison quelconque, on ne voulait pas qu'elle sache la vérité.

Lester Rogan avait-il été pour quelque chose dans sa venue ici ? Lorsque, dans une de ses lettres, Tony lui avait parlé de la galerie et l'avait encouragée à prendre ce commerce, avait-il agi sous l'influence de Lester ?

Et, pour couronner le tout, voilà que Poppy Gooding débarquait dans son existence, clamant haut et fort qu'elle et Jude allaient se marier !

Une fois encore, sa vie sombrait dans le chaos.

Un coup discret frappé à la porte la tira de ses tristes pensées. Levant la tête, elle vit Mlle Forsyth derrière la vitre.

Immédiatement, elle alla ouvrir.

— Entrez, je vous en prie.

— Vous, vous n'avez pas l'air dans votre assiette, dit la visiteuse, la dévisageant de ses yeux perçants. Vous êtes malade ? C'est pour cela que vous avez fermé la galerie ?

— Je me suis disputé avec Jude.

— Je vois.

Mlle Forsyth hochait la tête comme si elle avait apprécié exactement la gravité de la situation.

— Puis-je vous demander à quel sujet ?

Cate émit un petit rire qui résonna bizarrement.

— Vous ne le croirez pas, mais sa petite amie est venue le relancer jusqu'ici.

— Vous voulez dire cette idiote de Poppy en personne ?

Manifestement, Mlle Forsyth n'en croyait pas ses oreilles.

— Vous la connaissez ? demanda Cate, également surprise.

D'un geste, elle invita la visiteuse à s'asseoir dans un fauteuil.

— Jude en a touché quelques mots à Jimmy.

Mlle Forsyth s'installa confortablement sur le siège après en avoir tapoté les coussins.

— Jimmy me dit tout, vous savez, mon petit, continua-t-elle. A mon avis, Jude n'a jamais considéré cette femme comme une petite amie. N'est-ce pas la fille de son patron ? Si, Jimmy me l'a dit, je m'en souviens à présent. Et elle l'a poursuivi jusqu'ici ? Il n'y a pas à s'en étonner, après tout. Jude est la sorte d'homme qui fait fantasmer les filles. Avec ce sourire et ces yeux bleus… Ainsi, vous êtes jalouse ?

Cate hocha la tête, la mine grave.

— Croyez-vous au coup de foudre, mademoiselle Forsyth ?

La vieille dame sourit.

— Je ne m'aviserais pas de discuter les théories d'un fin connaisseur de la nature humaine comme Shakespeare, mon petit. Etes-vous en train de me dire que vous êtes amoureuse de Jude ?

— J'étais au septième ciel, ce matin, avoua Cate. Jusqu'à ce qu'elle arrive.

— Et Jude s'est mis en colère parce que vous ne lui faites pas confiance ?

— Mais j'ai confiance en lui. Seulement, je ne suis plus capable de croire au bonheur. Du moins, en ce qui me concerne. J'ai l'impression que je suis vouée au malheur.

— Parce que vous avez une histoire derrière vous. La vie vous a blessée. Cruellement blessée, je l'ai tout de suite senti. Combien de fois l'ai-je dit à Jimmy ? « Cette fille a beaucoup souffert. » Et si vous me racontiez tout, mon petit ?

Le visage empreint d'une expression d'immense sympathie, Mlle Forsyth insista :

— Ce n'est pas bon de garder les choses pour soi. A mon avis, nous sommes sur terre pour nous aider les uns les autres. Et je souhaite vous aider, de tout mon cœur.

— Vous êtes si bonne, mademoiselle Forsyth. Vous et Jimmy m'avez apporté votre soutien depuis le début. Vous avez le droit de tout savoir.

Les yeux de Cate rencontrèrent ceux de la visiteuse.

— J'aurais voulu que mon histoire ne soit pas aussi terrible. Mais je vous crois assez forte pour pouvoir l'écouter avec sérénité.

La jeune femme se pencha, ramassa le document que Jude avait laissé sur la table basse. L'expression dure qu'elle avait lue dans son regard lui revint à la mémoire.

— C'est une lettre de Lester Rogan, annonça-t-elle. Ecrite de sa propre main. Il y reconnaît avoir commis un vol auprès d'une personne de ma famille il y a plus de trente ans. Mais, d'abord, je vais vous raconter ce que j'ai vécu avant mon arrivée ici. Je suis désolée de ne pas l'avoir fait avant, mais j'étais trop traumatisée pour en parler. Je vais essayer de tout vous expliquer le plus clairement possible.

11.

— Voilà où nous en sommes, dit Ralph, résumant une discussion familiale d'une heure autour de la table du dîner.

Il regarda sa mère et sa sœur de ses grands yeux sombres.

— Elle fait donc partie de la famille, marmonna Melinda encore sous le choc. Comment papa a-t-il pu nous cacher cela ? Il connaissait son existence depuis plus de vingt ans ! Son père et papa étaient demi-frères. Je n'arrive pas à le croire. Au fait, qu'est-ce qu'elle est pour nous exactement ?

Myra tripotait sa fourchette nerveusement.

— Votre cousine, ma chérie, répondit-elle. Votre père était un homme très bizarre, mais je comprends maintenant ce qui l'a hanté jusqu'à la fin de ses jours.

— Il a dû se sentir désespéré, déclara Ralph. Ces gens, les Costello, avaient tout. Papa ne possédait rien. J'imagine ce qu'il a enduré en les regardant vivre dans leur grande maison pendant que lui et sa mère devaient se contenter d'une existence misérable ou presque sous leurs yeux méprisants.

— Cela n'excuse pas ce qu'il a fait, objecta sa mère, les yeux rougis à force d'avoir pleuré.

— Surtout qu'il a laissé porter les soupçons sur quelqu'un d'autre, renchérit Ralph d'un ton rude. Je me demande si le père de cette intrigante s'est douté de quelque chose concernant le vol.

Myra haussa les épaules.

— Qui sait ? A mon avis, il a dû y songer. Lester a toujours eu son côté sombre, même à l'époque. Il ne m'a jamais aimée. Il m'a épousée parce qu'il considérait ce mariage comme un investissement, une manière de repartir sur des bases honnêtes. Je le comprends, maintenant : jusque-là, son compte en banque reposait uniquement sur des bénéfices mal acquis.

Ralph gratifia sa mère d'un regard noir.

— Il a volé pour se construire un avenir, argua-t-il. Il essayait seulement de survivre.

— Ne l'absous pas aussi vite, Ralph, se récria Melinda. Que doit-elle penser de nous ?

— Qui se soucie de ce qu'elle pense ? rétorqua son frère. Peu importe ce que papa a fait quand il était jeune. C'est lui seul qui a établi sa fortune par la suite. Et cette fortune nous revient. A nous, pas à elle.

— Peut-être y a-t-elle droit, dit Myra. Au moins à une grande partie. C'est terrible de voir sa mère disparaître dans ces conditions. Les gens ne s'évanouissent tout de même pas ainsi de la surface de la terre.

— Cela arrive parfois, grommela Ralph. Elle a peut-être voulu partir ailleurs. Ou bien elle s'est suicidée. Qui sait ? De toute façon, en quoi son sort nous concerne-t-il ?

— C'est quand même notre cousine, fit remarquer Melinda, d'une voix où perçait l'émotion.

— Tu veux une cousine ? railla son frère. Très bien. Admettons qu'elle ait droit à quelque chose. Mais pas à ce que papa lui a laissé. La manière dont ce vieil hypocrite nous a traités ! Pensait-il vraiment s'acheter son paradis en léguant sa fortune à cette…

Myra l'interrompit :

— A quelle heure Jude a-t-il prévu cette réunion de famille ?

— A 10 heures du matin.

Un sourire étrange au coin des lèvres, Ralph ajouta en fixant sa sœur :

— Je te préviens qu'il est extrêmement gentil à son égard.

Melinda cilla.

— Qu'insinues-tu ? demanda-t-elle. Il la connaît à peine.

— Désolé de te décevoir, sœurette.

Ralph leva son verre de bière et en absorba le contenu d'un trait.

— C'était à prévoir, poursuivit-il. Tu l'as vue ? Et tu t'es vue dans le miroir ? Pourquoi s'intéresserait-il à toi ?

Myra intervint.

— Ça suffit, Ralph ! Tu prends plaisir à dire des choses cruelles. Par ce côté, tu ressembles à ton père, j'en ai peur. Mais écoute-moi bien. J'ai subi assez de mépris de ta part, et je t'ai laissé trop longtemps nous traiter ta sœur et moi avec une condescendance que ni elle ni moi ne méritions. C'est terminé, maintenant. Il faudra que tu quittes cette maison.

— Tu me mets à la porte ? demanda-t-il, les yeux brillants de colère.

— Pour te dire la vérité, ce qui peut t'arriver m'indiffère, répondit sa mère avec un calme étonnant. Tu as tué l'amour que j'éprouvais pour toi. De toute façon, tu seras mieux ailleurs. Ton père ne nous a pas laissés sans le sou, tu as plus d'argent qu'il ne t'en faut.

Ralph repoussa sa chaise de la table et se leva.

— Je ne me laisserai pas faire, rugit-il. Elle fait partie de la famille, et alors ? Cela ne m'empêchera pas de prendre les meilleurs avocats du pays pour l'obliger à rendre ce qui nous revient.

— Au risque de tout nous faire perdre ? lui rappela Melinda.

D'une voix railleuse, elle ajouta :

— Pourquoi n'épouses-tu pas cette bonne vieille Amy Gibson ? Tu ferais d'elle une honnête femme. Depuis le temps que tu la mènes en bateau, elle le mériterait, non ?

Ralph éclata d'un rire qui sonnait faux.

— Tu peux toujours parler ! rétorqua-t-il. Personne ne t'épousera jamais, Mel. Tu es née pour rester vieille fille.

Sur ces mots, il se dirigea vers la porte.

— N'en sois pas si sûr, dit Melinda avant qu'il ne sortît. Maman et moi avons des tas de projets que nous réaliserons dès que tu auras quitté cette maison.

Jude arriva à la galerie suffisamment tôt pour pouvoir discuter avec Cate avant le rendez-vous chez les Rogan.

Il lui avait téléphoné pour l'avertir de la réunion qu'il avait fixée avec la famille Rogan, pensant qu'elle refuserait de l'accompagner, mais elle avait accepté.

Il n'en avait pas le cœur plus léger pour cela. En fait, deux choses le préoccupaient : le manque de confiance de la jeune femme à son égard, et la découverte qu'il avait faite la veille au soir aux alentours de minuit.

Alors qu'il tournait en rond dans la maison en essayant de chasser Cate de son esprit, il avait trouvé dans une malle sensée contenir ses vieux livres d'enfant un paquet de lettres que sa mère lui avait envoyées. Elle lui avait écrit régulièrement pendant des années !

Se remettrait-il jamais de ce choc terrible ? Arriverait-il un jour à effacer de sa mémoire la duplicité de son père ? Il avait pris une lettre au hasard, l'avait lue. Cela lui avait suffi : sa mère avait commencé à lui écrire quelques mois après son départ, alors qu'elle s'était établie dans le Connecticut, et elle n'avait cessé que plusieurs années plus tard.

Pourquoi son père lui avait-il caché ce courrier ? Avait-il vraiment eu peur de le perdre comme il avait perdu sa femme ? Redoutait-il de devoir passer le reste de ses jours dans une solitude totale ?

Le destin venait de bouleverser sa vie comme il avait bouleversé celle de Cate.

Celle-ci l'accueillit avec simplicité.

Pour la circonstance, elle avait revêtu une tenue plus conventionnelle que d'habitude — robe de soie tilleul gansée de violet, sandales assorties à talons hauts — et elle avait noué ses beaux cheveux en un chignon élégant sur la nuque. Elle portait aussi des boucles d'oreilles.

Jamais il ne l'avait vue parée ainsi. Elle était exquise. Si exquise qu'il en eut le cœur serré.

— Je suppose que tu as soigneusement étudié tout ce que Lester Rogan disait dans sa lettre ? demanda-t-il, s'efforçant de parler d'un ton neutre.

— Naturellement. D'ailleurs, je l'ai montrée à Mlle Forsyth. Elle est venue me voir hier, après ton départ. Nous en avons discuté ensemble.

— Chez les Rogan aussi, ils en ont parlé longuement. J'ai eu Myra au téléphone ce matin. Elle et Melinda sont ravies de te rencontrer. Ce sont des femmes extrêmement gentilles, tu verras. Et qui n'ont pas eu la vie facile.

— Je suppose que Ralph ne partage pas leur enthousiasme à l'idée de me voir !

Jude ne releva pas la remarque.

— Sa mère lui a demandé de quitter la maison, dit-il. Ces femmes seront beaucoup plus heureuses sans lui.

Cate le regarda dans les yeux.

— Quand je t'ai dit que je ne voulais pas de leur argent, je parlais sérieusement, Jude.

Il haussa les épaules.

— Ce serait une erreur de tout rendre à Ralph. Si tu tiens vraiment à refuser l'héritage, il y a des quantités d'œuvres charitables. Lester Rogan souhaitait se faire pardonner, Cate.

— Il aurait dû chercher le pardon chez lui. Je pense que c'est une manière de donner une compensation à ma famille. Ce collier devait représenter une fortune, je me demande ce qu'il vaudrait aujourd'hui.

Jude considéra les beaux traits soucieux de la jeune femme.

— Allons d'abord à cette réunion. Nous verrons ce qu'ils ont à dire. Je suis contre toute décision immédiate. Avec les chocs que tu as subis récemment, tu es dans un état émotionnel qui te rend vulnérable.

Elle se mordit la lèvre.

— Je suis désolée pour hier, s'excusa-t-elle.

— Moi aussi. Nous y allons ?

C'est Myra qui vint leur ouvrir. Elle n'avait pas eu une mine si sereine depuis longtemps. Son regard plein de douceur enveloppa Cate. Elle lui tendit la main.

— Bienvenue, ma chère enfant, dit-elle d'une voix chaleureuse.

Ces paroles brisèrent la glace. Spontanément, les deux femmes s'embrassèrent.

— Bonjour, Jude, reprit Myra, émue aux larmes. Entrez, je vous en prie. Nous sommes dans le salon.

Lorsqu'ils pénétrèrent dans la vaste pièce, Melinda sauta aussitôt sur ses pieds, le visage illuminé d'un sourire. Quant à Ralph, il fallut un moment pour qu'il consentît enfin à quitter son fauteuil.

Saisi par l'émotion du moment, Jude se surprit à prier pour qu'un miracle s'accomplisse.

Que cette famille déchirée réussisse à trouver un arrangement. Et aussi pour que le ciel lui permît de se faire vraiment aimer de Cate.

Certes, elle avait mis à mal son orgueil, mais qu'était l'orgueil comparé à l'amour ?

— Tu as traité cette affaire d'une manière formidable, déclara Jude en invitant Cate à entrer dans le hall de sa maison.

Quand ils avaient quitté le manoir des Rogan, la jeune femme avait accepté de le suivre chez lui au lieu de retourner à la galerie.

— Personne ne s'en serait mieux tiré dans une situation aussi difficile, continua-t-il. Tu as fait un grand nombre de concessions, mais je pense que c'était à toi de les faire. La famille paraît satisfaite. Même Ralph.

— De toute façon, cela ne m'intéressait pas de prendre la direction des affaires de Lester, dit la jeune femme. Tu avais raison au sujet de Myra et Melinda, elles sont adorables. Je n'aurais jamais pensé qu'elles m'accueilleraient avec tant de chaleur.

Elle lui emboîta le pas tandis qu'il se dirigeait vers le salon.

— Tu as une famille, maintenant, fit remarquer Jude. Une famille prête à prendre soin de toi. En quelques minutes, tu as coupé l'herbe sous le pied à Ralph, alors qu'il s'attendait à livrer une longue bataille pour sauver ses intérêts.

— Je voulais seulement me montrer juste, Jude.

— Je sais, répondit-il.

Ils étaient arrivés sur le seuil de la grande pièce. Jude sentait la tension oppresser sa poitrine. Ce serait tout ou rien, maintenant, songea-t-il. L'amour, ou bien l'inconsolable chagrin.

Cate s'arrêta.

— Quand je serai un peu plus calme, je blanchirai le nom de mon père, déclara-t-elle. Je dédommagerai aussi sa famille pour la perte du collier.

— *Ta* famille, Cate, rectifia Jude.

— Peut-être, répliqua-t-elle.

Il la précéda dans le salon, l'invita à s'asseoir sur le canapé, alla se poster près de la fenêtre.

— Il n'empêche qu'ils ont laissé papa sortir de leur vie, reprit la jeune femme après un moment. Je ne puis leur pardonner cela. Ils se moquaient de savoir s'il avait une famille ici, en Australie. Ils n'auraient pas levé le petit doigt pour lui.

— Qui peut l'affirmer ? demanda Jude, pensif. Moi, par exemple, j'étais certain que ma mère m'avait totalement abandonné. Eh bien, je me trompais. J'ai fait une découverte incroyable, hier soir. J'attendais le moment de t'en parler.

Cate se tourna vers lui, un petit sourire mélancolique aux lèvres.

— De quoi s'agit-il ?

Il dut se retenir pour ne pas aller vers elle, la serrer dans ses bras, l'embrasser encore et encore sur la bouche, dans le cou, sur les yeux, sur les joues… Mais il ne le ferait pas contre son gré.

— D'une liasse de lettres, répondit-il d'une voix vibrante d'émotion. Je ne serais sans doute jamais tombé dessus si nous n'avions pas eu cette dispute idiote qui m'a mis les nerfs à vif. Poppy Gooding n'est absolument rien pour moi, Cate.

Les yeux plongés dans ceux de la jeune femme, il poursuivit :

— Je pensais que tu l'aurais compris. Je croyais que tu aurais réalisé que je ne pouvais pas faire l'amour comme je l'ai fait avec toi en étant engagé avec quelqu'un d'autre.

Les pommettes de Cate s'embrasèrent. Elle se leva, marcha vers lui.

— Je suis désolée. J'ai du mal à croire au bonheur, Jude.

— Tu doutes de mon amour pour toi ?

— La défiance est le seul bagage que je possède, pardonne-moi. Parle-moi de ces lettres. Qui les avait envoyées ?

— Ma mère. Et c'est à moi qu'elle écrivait.

Il y avait une telle expression d'égarement dans les yeux de Jude que les larmes montèrent aux paupières de Cate.

— C'est extraordinaire ! s'exclama-t-elle en joignant les mains. Et ton père ne te les avait jamais montrées ?

— Non.

La voix de Jude trahissait son ressentiment d'avoir été trompé.

— J'ai passé toute ma vie avec lui. Je l'aimais. Il avait ma confiance entière, et il a caché les lettres que maman m'écrivait. J'en ai lu une hier soir, rien qu'une — j'étais tellement choqué. Mais j'ai l'intention de lire les autres aujourd'hui. Il faut que je prenne une décision. Maman voulait que j'aille la retrouver...

— J'en suis certaine, dit Cate doucement. Mais tu peux comprendre les raisons pour lesquelles ton père ne t'a pas montré ces lettres. Il était terrifié à l'idée de te perdre. Cela aurait été terrible pour lui d'être abandonné une seconde fois.

— Je ne l'aurais pas quitté ! Je savais combien il avait souffert du départ de maman. Mais j'aurais contacté ma mère, je lui aurais répondu, j'aurais pu la voir de temps en temps. Oh, Cate, je l'aimais tellement ! Tu ne peux savoir combien je l'aimais. Elle nous a fait du mal, mais je regrette de ne pas avoir su qu'elle pensait à moi.

— Bien sûr.

La jeune femme scruta l'élégant visage de l'homme qui se tenait près d'elle. La vulnérabilité qu'elle lut sur ses traits lui déchira le cœur.

— Il n'est pas trop tard pour agir, Jude, continua-t-elle. A mon avis, ta mère peut très bien habiter encore au même endroit. Et même si elle a déménagé, tu peux retrouver sa trace et lui expliquer que tu n'avais pas eu connaissance de ses lettres jusqu'à maintenant. Au moins, ta mère est vivante, elle n'a pas disparu comme la mienne.

Jude la considéra attentivement, devinant son chagrin.

— Je suis désolé, Cate. Un jour, la lumière sera faite sur cette affaire. La police ne referme jamais vraiment les dossiers dans ce genre de cas. Ils ont forcément eu des soupçons concernant ton beau-père, mais à l'évidence ils manquaient de preuves pour l'inculper. Tu ne leur as jamais dit que l'intérêt qu'il te portait n'était pas innocent : il serait temps que tu le fasses. J'irai avec toi. Si cet homme est responsable de la disparition de ta mère, un jour ou l'autre il finira par commettre une erreur fatale.

Cate inclina la tête.

— Elle est morte, il faut que je l'accepte, continua-t-elle. Mais la tienne est vivante. Tu peux la rejoindre, Jude. Tu dois faire la paix avec elle avant d'aller de l'avant.

Il esquissa un demi-sourire.

— C'est étrange, tu ne trouves pas, toutes ces choses qui arrivent en même temps pour éclaircir les événements du passé.

Elle lui sourit en retour.

— L'idée ne t'est pas venue que ces messages pouvaient nous être envoyés par les esprits de nos parents ?

Il lui effleura la joue d'un geste tendre.

— Ce n'est pas impossible, murmura-t-il.

Puis, soudain, il l'attira à lui, la serra à l'étouffer, nicha sa tête au creux de son cou.

— Oh, Cate ! Ma Cate… Je n'ai pas besoin d'eux pour savoir que sans toi je ne suis rien. Je t'aime. Mais je déteste cette robe qui me sépare de toi.

Il commença à distribuer des petits baisers partout où sa peau était accessible.

— Tu trouveras le moyen pour me la retirer, j'en suis sûre, chuchota-t-elle. Si tu n'y arrives pas, je t'aiderai.

— Ce ne sera pas la peine, répondit-il en riant. J'ai déjà établi ma stratégie.

Recouvrant son sérieux, il plongea les yeux dans les siens.

— Avec toi, poursuivit-il, je me sens redevenu moi-même dans toute mon intégrité. Il y avait longtemps que je n'avais pas éprouvé ce sentiment. Je ne veux pas que nous nous disputions, ma chérie. C'est horrible de se faire la guerre, surtout pour des choses sans importance.

— Alors, nous repartons de zéro, proposa-t-elle d'une voix douce en lui caressant les cheveux, s'émerveillant de leur douceur soyeuse.

— Comment repartir de zéro alors que je suis tombé amoureux fou de toi dès le premier regard ? protesta Jude. Je ne veux pas te laisser partir, Cate. Je veux que nous soyons l'un à l'autre pour toujours. Vois-tu, je ne me serais jamais cru capable de dire cela un jour, mais j'en suis arrivé à penser que chacun a une âme sœur dans la vie. Et je suis convaincu d'avoir trouvé la mienne. Maintenant, je n'ai plus qu'un seul désir : l'épouser. Veux-tu devenir ma femme, Cate ?

Elle eut l'impression qu'une lumière éblouissante irradiait de tous côtés autour d'elle.

— Je le veux, tu le sais, répondit-elle.

— Mon amour ! murmura Jude.

Il se pencha pour l'embrasser profondément, ardemment, comme s'il avait souhaité atteindre son âme. Combien de temps dura ce baiser ? Plusieurs minutes ? L'éternité ?

Il l'interrompit enfin pour la regarder dans les yeux.

— Je veux que nous affrontions la vie ensemble, déclara-t-il. Quel que soit l'endroit où nous déciderons de nous installer. Je vais dire adieu à Gooding Carter et Legge. Ce ne sont pas les seuls dans le pays. Peut-être pourrais-je ouvrir mon propre cabinet dans la région ? Je ne tiens pas à me séparer de cette maison.

— Moi non plus, affirma Cate avec ferveur. Je l'adore.

Dès le début elle avait aimé la sérénité, la chaleur, la luminosité de la demeure familiale des Conroy.

— Tu es ici chez toi, dit Jude en resserrant son étreinte. Tu as même aperçu notre fantôme local ! La légende prétend qu'il apparaît aux gens qui se trouvent à un tournant de leur vie. Je veux que nous soyons des associés à part entière, Cate. Je veux que nous partagions toutes les joies, tous les risques que l'avenir nous réservera. J'accepterai tout à partir du moment où nous y ferons face ensemble.

Elle s'appuya contre lui, illuminée de bonheur, tandis qu'il continuait.

— La vie serait vide si nous n'avions pas d'âme sœur. C'est le destin qui nous a guidés l'un vers l'autre, Cate. Ce n'est pas le hasard.

— Je sais, mon amour, chuchota-t-elle. Nous avons besoin l'un de l'autre pour être complets.

— Et si je te portais jusqu'à la chambre pour cela ?

Elle lut dans ses yeux bleus l'ardeur de son désir.

— Je ne souhaite rien d'autre, répondit-elle dans un souffle.

Et elle noua les mains autour du cou de l'homme qu'elle aimait.

Chère lectrice,

Vous nous êtes fidèle depuis longtemps?
Vous venez de faire notre connaissance?

C'est pour votre plaisir que nous avons imaginé un rendez-vous chaque mois avec vos auteurs préférés, vos AUTEURS VEDETTE *dans les collections* Azur *et* Horizon.

Les AUTEURS VEDETTE *vous donneront rendez-vous pour de nouveaux livres vedette.*

Pour les reconnaître, cherchez l'étoile... Elle vous guidera!

Éditions Harlequin

AUT-R-R

LE FORUM DES LECTEURS ET LECTRICES

CHERS(ES) LECTEURS ET LECTRICES,

VOUS NOUS ETES FIDÈLES DEPUIS LONGTEMPS?

VOUS VENEZ DE FAIRE NOTRE CONNAISSANCE?

SI VOUS AVEZ DES COMMENTAIRES, DES CRITIQUES À FORMULER, DES SUGGESTIONS À OFFRIR, N'HÉSITEZ PAS… ÉCRIVEZ-NOUS À:

LES ENTERPRISES HARLEQUIN LTÉE.
498 RUE ODILE
FABREVILLE, LAVAL, QUÉBEC.
H7R 5X1

C'EST AVEC VOS PRÉCIEUX COMMENTAIRES QUE NOUS ALLONS POUVOIR MIEUX VOUS SERVIR.

DE PLUS, SI VOUS DÉSIREZ RECEVOIR UNE OU PLUSIEURS DE VOS SÉRIES HARLEQUIN PRÉFÉRÉE(S) À VOTRE DOMICILE, NE TARDEZ PAS À CONTACTER LE SERVICE D'ABONNEMENT; EN APPELANT AU (514) 875-4444 (RÉGION DE MONTRÉAL) OU 1-800-667-4444 (EXTÉRIEUR DE MONTRÉAL) OU TÉLÉCOPIEUR (514) 523-4444 OU COURRIER ELECTRONIQUE: AQCOURRIER@ABONNEMENT.QC.CA OU EN ÉCRIVANT À:

ABONNEMENT QUÉBEC
525 RUE LOUIS-PASTEUR
BOUCHERVILLE, QUÉBEC
J4B 8E7

MERCI, À L'AVANCE, DE VOTRE COOPÉRATION.

BONNE LECTURE.

HARLEQUIN.

VOTRE PASSEPORT POUR LE MONDE DE L'AMOUR.

♉ ♊ ♋ ♌ ♍ ♎ ♏

L'ASTROLOGIE EN DIRECT
TOUT AU LONG
DE L'ANNÉE.

(France métropolitaine uniquement)

Par téléphone 08.92.68.41.01

0,34 € la minute (Serveur JET MULTIMÉDIA).

Composé et édité par les
éditions Harlequin
Achevé d'imprimer en octobre 2005

BUSSIÈRE
GROUPE CPI

à Saint-Amand-Montrond (Cher)
Dépôt légal : novembre 2005
N° d'imprimeur : 52241 — N° d'éditeur : 11685

Imprimé en France